L'attachement, un départ pour la vie

Yvon Gauthier, Gilles Fortin
et Gloria Jeliu

Catalogage avant publication de Bibliothèque et Archives nationales du Québec et Bibliothèque et Archives Canada

Gauthier, Yvon, 1927-

L'attachement, un départ pour la vie
(La Collection du CHU Sainte-Justine pour les parents)

Comprend des réf. bibliogr.
ISBN 978-2-89619-145-1

1. Attachement chez l'enfant. 2. Parents et enfants. 3. Socialisation. 4. Enfants - Psychologie. I. Fortin, Gilles, 1944- . II. Jeliu, Gloria. III. Titre. IV. Collection : Collection du CHU Sainte-Justine pour les parents.

BF723.A75G38 2009 155.4'18 C2008-942308-9

Illustration de la couverture : Marion Arbona
Conception graphique : Nicole Tétreault

Diffusion-Distribution
au Québec : Prologue inc.
en France : CEDIF (diffusion) – Daudin (distribution)
en Belgique et au Luxembourg : SDL Caravelle
en Suisse : Servidis S.A.

Éditions du CHU Sainte-Justine
3175, chemin de la Côte-Sainte-Catherine
Montréal (Québec) H3T 1C5
Téléphone : (514) 345-4671
Télécopieur : (514) 345-4631
www.chu-sainte-justine.org/editions

ISBN : 978-2-89619-145-1

Dépôt légal : Bibliothèque et Archives nationales du Québec, 2009
Bibliothèque et Archives Canada, 2009

Cet ouvrage est imprimé sur un papier entièrement recyclé.

Membre de l'Association nationale des éditeurs de livres

ASSOCIATION NATIONALE DES ÉDITEURS DE LIVRES

L'attachement, un départ pour la vie

À tous les parents que nous avons vus à notre Clinique d'attachement et qui nous ont beaucoup appris sur la nécessité de l'attachement et sur les conséquences graves pour l'enfant de conditions de vie compromettant l'émergence d'un attachement de qualité.

REMERCIEMENTS

À madame Denise Marchand qui a bien voulu lire une première version de notre manuscrit et le commenter judicieusement.

Table des matières

Introduction

Attachement… Attachement… Attachement. Le mot sans lequel toutes les discussions, conversations, échanges ou écrits concernant les parents et leurs enfants ne sauraient paraître complets et inspirés. Bref, c'est le mot à la mode. Mais au fait que recouvre ce mot, quels concepts, notions ou idées exprime-t-il ? Nous savons tous ce qu'est l'attachement, nous qui sommes attachés à tant de choses : nos enfants, notre partenaire de vie, nos habitudes, certains objets, etc. Évidemment, il existe une certaine hiérarchisation, une variation dans l'intensité de l'attachement qui nous relie à toutes ces choses.

Face à nos enfants, par le mot attachement on exprimerait donc ce sentiment ou plutôt ce besoin que nous ressentons d'être près d'eux, de les voir, de les toucher ou du moins de garder contact avec eux, si ce n'est physiquement, à tout le moins par l'intermédiaire de la communication, peu importe le média – téléphone, courriel ou même par ce moyen de plus en plus délaissé qu'est celui de l'écriture, du bon vieux courrier, des cartes postales, de l'échange de lettres. À l'idée d'attachement est donc inhérent le besoin de rapprochement, de contact. L'attachement ne serait donc pas tant un sentiment qu'un besoin de contact, de proximité à l'égard de nos enfants, des personnes et aussi de tous ces objets que nous chérissons.

Besoin de contact, de proximité ? Mais pourquoi ? Qu'y a-t-il en ces enfants, en ces personnes et en ces choses pour qu'ils exercent sur nous une telle attirance ? Mais « parce que nous les aimons », direz-vous. Oui, aimer un enfant, une personne, mais aimer une chose ? Non, être attaché ne veut pas dire la même chose qu'aimer. Dans l'attachement, ne serait-ce pas davantage ce que l'objet de notre attachement nous procure qui nous incite à en rechercher la proximité ? Quoi de plus agréable, réconfortant, après une dure journée, que de retrouver un environnement familier : rentrer chez soi, s'entourer de toutes ces personnes et tous ces objets familiers qui sont les nôtres. Quoi de plus rassurant que le sourire des siens après une journée difficile. Quoi de plus plaisant que d'enfiler un vêtement souple qui se moule à notre corps ou que de se reposer dans un bon fauteuil confortable à écouter musique ou télévision quand plus personne ne nous demande quoi que ce soit. Ce qui nous attire donc auprès de ces personnes ou choses auxquelles nous sommes attachées, c'est la détente, l'apaisement, la sécurité qu'elles nous procurent. Enfin, plus d'irritant, plus d'agression, la détente est maintenant possible, nous sommes en sécurité.

Est-ce de cela qu'il s'agit quand nous parlons d'attachement entre parents et nourrissons ? S'agit-il seulement d'un besoin de proximité ? De fait, ce qui a été découvert au cours des dernières décennies, c'est que ce besoin que nous démontre le très jeune enfant d'être proche de son parent est l'expression d'un besoin de sécurité face aux dangers quotidiens. Danger auquel le parent répond immédiatement pour assurer cette sécurité. Et grâce à ces échanges réguliers et quotidiens se créent des liens privilégiés, extrêmement intenses et réciproques, qu'on appelle l'attachement, et qui deviennent particulièrement évidents devant toute situation qui provoque détresse ou angoisse chez l'enfant.

Entre l'adulte et le petit enfant, que nous appellerons nourrisson, c'est ce dernier qui a le plus grand besoin de la proximité de l'autre. En effet, sans l'adulte, le nouveau-né est voué à une mort certaine. Il ne peut par lui-même trouver à s'alimenter, à se réchauffer. Dès sa naissance, il est plongé dans un environnement qui, sauf de rares exceptions, est plus froid que l'environnement utérin d'où il vient de s'échapper. Il est de plus heurté par des sons, des lumières ou des odeurs qui n'ont aucune commune intensité avec ce qu'il a connu jusqu'alors. Habitué à être touché de toute part par l'environnement liquide où il se trouvait avant sa naissance, il ne ressent tout à coup que des points de pression, d'appui sur son corps contre les surfaces sur lesquelles il repose maintenant. Le cordon ombilical coupé, il doit rechercher par la respiration l'oxygène dont il a besoin et, si la nourriture ne lui est pas apportée, très bientôt il ressentira la faim. Le niveau de stress est élevé, le besoin d'apaisement, de sécurité, est ainsi en voie d'être créé.

Le nourrisson ressent dès sa naissance le stress et son apaisement. Très instinctivement, il recherche cet apaisement. Le stress engendre effectivement des réactions chimiques cérébrales qui procurent une sensation désagréable ou de déplaisir très vraisemblablement dès cet âge. Rapidement, le nourrisson apprend non seulement à reconnaître et rechercher le plaisir, mais aussi à reconnaître ce qui tend à le lui procurer. Ainsi, téter apaise la désagréable sensation de faim. Puis, à mesure que son cerveau enregistre ces nouveaux stimuli, il se développe et s'organise. Bientôt, l'odeur du lait suffit à stimuler l'élaboration par le cerveau de substances qui procurent la sensation d'apaisement ou de plaisir, plaisir qui s'évanouit rapidement si le lait ne vient pas. Puis, le nourrisson comprend qu'il peut susciter l'apaisement par ses cris et ses pleurs. Effectivement, ses propres cris et pleurs, qui l'ont peut-être affolé et stressé tout d'abord, provoquent maintenant au contraire la survenue ultime d'un apaisement quand, par exemple, alertée par ceux-ci, la maman se penche sur lui. Au fil des semaines et des mois, il arrive à comprendre que cet apaisement qui le sécurise en éliminant les désagréables sensations liées au stress, lui vient de l'extérieur. Il apprend même à reconnaître la présence auprès de lui de ce porteur d'apaisement par l'odeur qu'il émet, les mots qu'il dit d'une certaine façon ou encore la manière dont il bouge et le touche.

Progressivement se structure chez le nourrisson un système grâce auquel il trouve apaisement et sécurité. Il en vient à reconnaître la source même de l'apaisement et la façon d'interpeller cette source, de l'approcher de lui et plus tard, lorsqu'il en aura les possibilités physiques, de s'en approcher par lui-même. Nous comprenons tous évidemment que cette source d'apaisement, c'est l'adulte soignant, le parent, le plus souvent la maman. L'apprentissage de cette démarche qui procure au nourrisson apaisement et sécurité est précisément ce nous désignons par l'attachement de l'enfant.

Pour l'adulte, le parent, cet échange crée un véritable dialogue générateur de plaisir, plaisir d'apaiser, plaisir de rassurer. Au fil des échanges, la compréhension mutuelle se raffine et des liens de plus en plus étroits, particuliers et spécifiques se tissent entre ces deux êtres. Évidemment, chaque être a ses propres qualités et défauts, dirons-nous. Aussi, la qualité du dialogue nourrisson-parents varie selon les caractéristiques de chacun des interlocuteurs et les circonstances. Plus les réponses sont appropriées, constantes et prévisibles, plus le nourrisson est susceptible d'être sécurisé et apaisé. Pour lui, rapidement, cette source d'apaisement devient unique dans son univers perceptif. Il attend non seulement une réponse à ses appels, mais il l'attend de cette ou de ces mêmes personnes qui s'occupent habituellement de lui. L'attachement de l'enfant s'individualise autour d'une personne principale, le plus souvent la mère. La perte de celle-ci, même très précocement dans sa vie, sera susceptible d'engendrer des perturbations qui influenceront de façon continue et permanente tout son fonctionnement ultérieur.

Rapidement, l'enfant module et adapte ses comportements de recherche d'apaisement et de plaisir aux réponses qu'il obtient d'abord par ses pleurs, puis par une communication de plus en plus organisée jusqu'à l'utilisation du langage. Il s'agit d'un dialogue, d'interactions où, si les besoins du nourrisson sont constants, la réponse de l'adulte peut être, elle, plus variable. Car la qualité et la constance des réponses du parent, on le verra, trouvent leur origine dans sa propre histoire d'attachement avec ses parents. Nous verrons au cours des chapitres subséquents de ce livre que la réponse de l'adulte, par ses variations en qualité, en constance et en permanence, module différemment les perceptions du nourrisson qui s'en trouve façonné différemment, créant ainsi **divers profils d'attachement.**

John Bowlby, psychanalyste britannique, et Mary Ainsworth, psychologue canadienne, sont les principaux artisans de cette théorie par laquelle ils expliquent comment le nourrisson établit une relation spécifique, et de façon très précoce, avec les êtres qui l'entourent. D'autres auteurs avec et après eux ont également contribué à développer cette théorie qui nous permet maintenant de mieux comprendre toute la dynamique du développement et de l'organisation de la personne humaine. Au gré des interactions répétées à travers lesquelles le nourrisson recherche apaisement et sécurité, s'élabore tout un système qui structure le cerveau du bébé. Ce système organise son être, sa personne tant au plan moteur qu'affectif et intellectuel, et a des répercussions sur tout son développement affectif et social ultérieur. Cette dynamique interactive aurait plus d'impact que les déterminants génétiques du tempérament sur le développement, la personnalité et l'équilibre mental des individus, même arrivés à l'âge adulte. Plusieurs personnes peuvent entourer cet enfant et répondre à tous les signaux qu'il lance, mais c'est généralement la mère qui est la plus constamment présente et qui devient ainsi la figure d'attachement principale. Nous verrons cependant que le père et d'autres figures, masculines ou féminines, deviennent aussi des figures d'attachement.

Et voilà, me direz-vous, nous y sommes : encore un livre fait par des spécialistes qui vont nous dire comment élever nos enfants. Dieu qu'il peut apparaître difficile d'être de bons parents ! Non, rassurez-vous, ce livre ne vous dira pas quoi faire et quoi ne pas faire. Il vous permettra de mieux comprendre, par une théorie maintenant bien fondée sur de nombreuses recherches – la théorie de l'attachement – comment nos petits perçoivent la vie, nous perçoivent en tant qu'adultes qui prennent soin d'eux. Forts de cette meilleure compréhension de ce qui les façonne, à nous d'ajuster nos attitudes et comportements selon notre propre intuition et notre compréhension de ce qu'ils sont.

Pour faciliter la réflexion, quelques chapitres traiteront de sujets plus contemporains comme la garderie, la garde partagée, la famille reconstituée, les enfants provenant de milieux familiaux plus compliqués, désorganisés. Nous tenterons aussi de voir comment, à la lumière des données de cette théorie, on peut agir pour prévenir les conséquences d'une organisation familiale où la cohérence échappe à tout contrôle ; puis nous verrons comment, en dépit de tout, certains enfants qu'on appelle résilients montrent, face à des événements traumatiques, un pouvoir de compensation et de rattrapage insoupçonné qui, peut-être, se fonde justement sur la qualité des premières relations qu'ils auront pu établir tôt dans leur enfance. Mais tout d'abord nous verrons les observations sur lesquelles s'appuie cette théorie de l'attachement et la façon dont elle fut élaborée.

Nous ne préciserons pas, à mesure que nous progressons dans ce livre, les travaux auxquels nous nous référons. Le lecteur désireux de poursuivre sa recherche trouvera à la fin de l'ouvrage, pour chaque chapitre, quelques références utiles. La majorité de ces références sont en langue anglaise; nous donnerons cependant, autant que possible, les références des traductions en français.

CHAPITRE 1

Démarche et perspective historique

Les hommes savent sans doute depuis les temps immémoriaux qu'on ne peut laisser seuls très longtemps les nourrissons, et même les enfants un peu plus âgés. Ils savent que, dès son arrivée dans le monde, le petit a besoin de la présence continue de ceux qui l'ont engendré ou de ceux qui en sont proches. Toutefois, c'est seulement dans le cours des années cinquante et soixante que John Bowlby, un psychanalyste britannique, a mis ensemble un certain nombre d'observations que lui et d'autres collègues avaient faites, le conduisant à élaborer ce que l'on appelle la théorie de l'attachement.

Alors qu'il fait un stage comme étudiant en médecine dans un internat pour jeunes délinquants, Bowlby remarque que l'histoire de ces jeunes adolescents perturbés révèle une constante très fréquente : durant leur première enfance, ils ont subi la perte de leur mère qui les avait abandonnés ou dont on les avait séparés, souvent à répétition. Il a alors commencé à penser que ce fait pouvait expliquer pourquoi ces jeunes étaient si remarquables par leur manque d'affection (*affectionless characters*) ; ils étaient devenus comme insensibles, même face à ceux qui s'intéressaient à eux et voulaient les aider.

Plus tard, avec John Robertson, un collègue travailleur social, Bowlby s'intéresse aux jeunes enfants hospitalisés en pédiatrie. Ceux-ci présentent des réactions intenses au moment où ils sont séparés abruptement de leur mère qui, dans ces années-là, n'avait à peu près aucune place dans la structure hospitalière. Les parents, en effet, devaient laisser leur enfant à un personnel compétent, mais évidemment totalement inconnu de l'enfant, et ne pouvaient visiter leur enfant – comme dans nos hôpitaux pédiatriques jusqu'au tournant des années soixante-dix – qu'une heure par jour. Et la tendance était très forte parmi le personnel infirmier, ainsi qu'on le leur enseignait, de suggérer aux parents de ne pas venir du tout, car leur enfant pleurait d'autant plus qu'ils les revoyaient, même pour une courte période de temps.

Ces jeunes enfants de 12 à 15 mois, soudainement laissés à l'hôpital dans un milieu totalement nouveau, réagissaient très fortement : ils pleuraient, criaient, souvent frappaient même les barreaux de leur lit ou toute personne qui les approchait. Cette réaction de protestation intense pouvait durer plusieurs heures, jusqu'à ce que l'enfant « comprenne » que cela ne donnait rien. Il se retirait alors en lui-même, dans une réaction de tristesse parfois retenue, mais quand même évidente. Ce n'est qu'au bout de quelques jours que cet enfant reprenait vie et se laissait intéresser par les jouets ou les activités qu'on lui offrait.

Bowlby et Robertson ont fait un film de ces observations - *A 2-year-old goes to the hospital* – qui a joué un grand rôle dans la compréhension de ces réactions du jeune enfant à la séparation d'avec sa mère. Les autorités médicales du temps, qui ne semblaient pas « voir » les comportements pourtant dramatiques de ces enfants, les ont d'ailleurs accusés d'avoir inventé ces images ! Un film important fait par l'Office national du film du Canada en 1965 – *Les départs nécessaires* – a aussi eu une grande influence dans la réforme des pratiques hospitalières en pédiatrie en favorisant une présence beaucoup plus continue des parents auprès de leur enfant hospitalisé.

Les trois phases

On peut observer trois phases dans les réactions de ces jeunes enfants qui sont subitement séparés de leur mère : une phase de *protestation*, où ils expriment leur colère d'être ainsi laissés dans un milieu complètement inconnu, sans leur mère, sans comprendre ce qui leur arrive, et souvent dans un état d'inconfort à cause de leur maladie. Suit une phase de *retrait* où ils démontrent à la fois la tristesse d'être abandonné et de ne rien pouvoir y faire. Enfin, une troisième phase qu'on a décrite comme un *détachement*, où l'enfant semble retrouver son naturel social et explorateur et se « détacher » de ces émotions intenses vécues pendant les jours précédents.

En fait, on en est venu à comprendre que ce détachement n'est qu'apparent et que certaines des émotions observées dans les premiers jours sont toujours présentes, car elles refont surface rapidement au retour à la maison. Le petit se souvient, dans sa mémoire déjà bien développée, de cet abandon que sa mère lui a fait vivre et, pendant une période de temps qui peut paraître longue, il aura tendance à faire payer le parent pour ce qu'on lui a fait en étant très irritable, souvent fâché, démontrant des comportements plus infantiles, perdant de façon transitoire certaines acquisitions déjà faites.

Les observations faites dans les années subséquentes ont montré que les dommages peuvent être d'autant plus permanents que la séparation a été longue et subite.

Les petits singes de Harlow

Bowlby s'est aussi intéressé aux travaux faits dans ces années-là aux États Unis par Harry Harlow, un biologiste qui s'était mis à observer les réactions de petits singes qu'il séparait de leur mère pendant des périodes plus ou moins longues. Bowlby a visité le laboratoire de Harlow où il a immédiatement fait des liens d'abord avec ses jeunes délinquants, puis avec ses jeunes enfants hospitalisés : en effet, ces jeunes singes démontraient, à la suite de cette séparation d'avec leur mère, des tendances importantes au retrait. Il était aussi remarquable de voir ces jeunes singes aller brièvement se nourrir à un mannequin d'acier qui leur donnait du lait avant d'aller longuement rejoindre un mannequin capitonné qui leur apportait le confort et la chaleur de la mère disparue.

On comprend graduellement la démarche qu'a faite Bowlby vers ce qu'il va appeler **l'attachement** : la réaction du petit – animal ou humain – montre que la séparation d'avec sa mère est un traumatisme significatif. Et c'est un traumatisme parce que ce petit a profondément besoin de ce parent qui s'occupe de lui depuis sa naissance pour tous ses besoins fondamentaux. Et c'est par la satisfaction de tous ces besoins que des liens se créent entre lui et son parent ; quand ces liens sont brisés, on en comprend l'importance devant l'intensité des réactions de l'enfant.

Bowlby en viendra à dire que nous nous trouvons devant un besoin social inné, qui fait partie de notre héritage, remontant aux temps immémoriaux où le petit ne pouvait se défendre seul contre des prédateurs et avait besoin de la protection du parent pour assurer sa survie.

Mary Ainsworth

Nous n'aurions probablement pas autant compris et été influencés par ces idées si Bowlby n'avait pas reçu l'aide d'une psychologue canadienne, Mary Ainsworth. Venue s'établir à Londres avec son époux, elle répond à une petite annonce de Bowlby qui cherchait une assistante de recherche. Elle deviendra avec les années sa principale collaboratrice, et éventuellement celle qui a permis, par ses propres travaux, d'élaborer plus avant ce qui deviendra la théorie de l'attachement.

Ainsworth s'est beaucoup centrée sur les problèmes de la séparation de l'enfant d'avec sa mère, non plus seulement la séparation brusque et dramatique de l'hospitalisation où la mère disparaît pour une longue période de temps, mais la séparation plus quotidienne, celle qui fait partie de la vie courante, à mesure que l'enfant grandit et entre de plus en plus en contact avec le monde extérieur.

Elle a œuvré en Angleterre d'abord, dans l'équipe de Bowlby, et ensuite en Ouganda où elle projetait d'observer le sevrage de l'enfant africain d'avec sa mère au moment où, selon la coutume de ce pays, il devait la laisser et devenir membre de la famille élargie. Mais en fait, cette coutume étant déjà à peu près inexistante, elle a donc plutôt observé les séparations quotidiennes, telles qu'elles se produisaient dans cette culture spécifique.

C'est ensuite aux États-Unis qu'elle a poursuivi sa carrière et développé un instrument de recherche appelé la *situation étrange.*

> La situation étrange est une mise en situation, une observation en laboratoire, qui est structurée autour de deux courtes séparations de l'enfant d'avec sa mère. Tout cela dure 18 minutes, est filmé en vidéoscopie et coté par les chercheurs (voir le chapitre 3).

Nous verrons plus loin ce que des observations faites de cette manière nous apportent dans la compréhension du développement de la relation de l'enfant avec sa mère ou avec son père, particulièrement autour du concept de sécurité de l'enfant.

Ce qui est important à ce moment-ci, c'est de comprendre que nous passons à une deuxième étape dans le développement de la théorie et de la clinique de l'attachement : il ne s'agit plus de séparation soudaine et de réactions majeures. Il s'agit plutôt de « microséparations », du type de celles qui surviennent dans la vie quotidienne de tous les enfants. Ce qui est en question, c'est la façon dont l'enfant va réagir à cette courte séparation, et comment il va se comporter particulièrement au moment où la mère revient le trouver.

De fait, Ainsworth démontrera à partir de la *situation étrange* que ce sont surtout les réactions de l'enfant lors des deux réunions avec sa mère qui vont nous apprendre ce qui s'est joué entre les deux depuis la naissance et ce qui s'est en quelque sorte inscrit dans la tête de cet enfant suite aux interactions quotidiennes autour des soins fondamentaux et des diverses façons d'entrer en contact avec le monde et de l'explorer.

Cet instrument qu'est la *situation étrange* n'a pas été accepté facilement par les chercheurs et cliniciens du jeune enfant. Il a fallu que Ainsworth et ses collègues puissent montrer qu'ils avaient beaucoup observé mères et enfants à la maison, plusieurs heures par semaine, pendant toute la première année précédant cette observation en laboratoire. Ils ont ainsi montré que l'observation de 18 minutes qu'est la *situation étrange* est le reflet de ce qui s'est joué à la maison dans le quotidien de la première année de vie, et qui conduit à des patterns de comportement très spécifiques que l'on peut observer en réaction aux courtes séparations de cette *situation étrange.*

Une école de pensée s'est ainsi organisée autour de Bowlby et de Ainsworth, d'abord en Angleterre et aux États-Unis, et graduellement en Europe, en Allemagne particulièrement. Des chercheurs de ces divers pays ont observé un grand nombre de parents et leur enfant depuis leur naissance et dès leur première année de vie, et ils ont suivi leur développement tout au cours des années, jusqu'à l'adolescence et le début de l'âge adulte. Ces travaux nous démontrent des liens étroits entre la qualité des soins et des premières interactions qui se tissent entre l'enfant et ses parents, et le devenir de cet enfant au cours des diverses étapes de son développement.

Les implications de ces observations sont considérables. Tous les parents qui mettent un enfant au monde veulent le meilleur pour leur petit et sont prêts à tous les sacrifices pour réaliser ce désir profond. Il est essentiel pour le devenir de l'enfant que ces connaissances sur l'influence des liens qui se créent très tôt dans la vie entre lui et ses parents deviennent accessibles au plus grand nombre, et ne restent pas sur les tablettes des chercheurs ou des hommes politiques. C'est beaucoup l'objectif de ce livre.

Chapitre 2

La construction de l'attachement : la première année de vie

On pourrait se poser avec raison la question suivante: L'attachement est-il inné, naturel, universel, apparaissant dès que le nouveau-né vient au monde, ou bien serait-il le fruit de l'apprentissage de la vie et des expériences que l'enfant va connaître? La réponse est loin d'être simple.

Le nouveau-né, partenaire social

Les progrès considérables que connaissent les sciences du comportement et de la neurologie depuis quelques décennies ont permis de modifier de façon radicale les connaissances que l'on avait du comportement du nouveau-né. Loin de le considérer comme un être complètement dépendant, impuissant, que l'on pourrait assimiler à une cire vierge sur laquelle s'inscriront tous les apprentissages ultérieurs, on s'émerveille de plus en plus des capacités qu'il possède déjà en arrivant au monde. Il n'est ni sourd, ni aveugle; non seulement il voit presque aussi bien que l'adulte à une distance déterminée, mais il est miraculeusement intéressé et captivé par les contours du visage humain qu'il préfère à tout autre stimulus, ce visage qu'il regarde de façon intense et prolongée dès la première heure de vie. Il entend bien et il est nettement attiré par la voix humaine vers laquelle il se tournera et qu'il préfère à toute autre stimulation auditive. Les sens de l'odorat et du goût sont bien développés. Certains de ses réflexes que l'on appelle primaires ou archaïques lui font rechercher l'odeur dégagée par le sein de la mère et l'incitent à téter ce sein qu'il aura lui-même découvert par le réflexe de fouissement qu'il partage d'ailleurs avec tous les autres mammifères.

Tout se passe comme si le nouveau-né était déjà programmé à se tourner vers la mère, à s'y accrocher et à y trouver le confort, tout autant que la satisfaction de ses besoins les plus fondamentaux. Tout est déjà en place pour qu'il soit disponible en tant que partenaire social, intéressant et réactif. Cet ensemble de capacités émergentes, de disponibilités en attente, peut être considéré comme la phase innée de l'attachement qui se déploie par la suite dans une interaction complexe entre le petit nourrisson et l'adulte qui en prendra soin pendant les premières années de sa vie.

Les interactions précoces, fondement de l'attachement

En effet, la structure même de l'attachement que l'on a défini par la recherche de proximité, d'apaisement et de son aboutissement (sécurité et confiance) se construit par de multiples interactions quotidiennes dont la nature a pu être précisée par des microanalyses en vidéoscopie. On a tout simplement filmé de façon simultanée, souvent à leur insu mais avec leur consentement, mère et enfant en présence l'un de l'autre en des moments où ils n'ont rien d'autre à faire que d'être ensemble. Il y a tout de même des échanges. N'oublions pas qu'on a déjà évalué à 15 millions les échanges entre la mère et son enfant durant la première année de vie.

En quoi consistent ces échanges? On peut observer des cycles de plusieurs secondes ou même de quelques minutes où la mère et le nourrisson se livrent à un véritable ballet durant lequel les deux partenaires vont échanger des regards, des vocalises, des sourires et des caresses. Ces activités sont symétriques et synchrones, les deux partenaires sont actifs à tour de rôle ou parfois en même temps comme dans une conversation. Lorsqu'un des deux décide d'amorcer l'échange, l'autre suit dans les meilleurs cas; lorsque l'échange a suffisamment duré (on parle de quelques minutes, voire quelques secondes chez le très jeune nourrisson), l'un des deux cesse d'être actif et l'autre suit également.

Cela paraît simple et merveilleux à la fois. Jugez-en vous-même! Vous regardez intensément votre bébé qui cesse aussitôt de gazouiller; il vous regarde lui aussi et sourit, il gigote un peu, vous le prenez par la main et vous lui dites « Ah! petit bébé veut me dire bonjour? ». Votre voix est mélodieuse, elle est spécialement harmonieuse sans que vous vous en rendiez compte, mais bébé l'aime tout particulièrement et répond à sa manière par des roucoulements comme s'il vous comprenait.

À un niveau profond et mystérieux, il vous comprend et vous le fait savoir à sa manière. C'est la « conversation » que toutes les mères et tous les bébés connaissent et apprécient.

Chaque geste, chaque expression et chaque vocalise, soit de la part de la mère, soit du côté de l'enfant, représente un élément de communication. Par exemple : « Une mère va se pencher sur son bébé, attraper un membre agité, tenir le bébé par le postérieur, l'entourer d'une enveloppe faite d'un regard intense et de douces vocalisations. Elle va accentuer sa voix pour obtenir une réponse. Comme sa voix monte, doucement, le bébé répond par un ensemble de comportements, tout son corps se décontracte, ses traits s'adoucissent, il la regarde intensément et émet un doux gazouillis[1]. »

Dans des conditions idéales, ce ballet vocal, cet ensemble de comportements ajustés procure non seulement du plaisir aux deux partenaires, mais le bébé finit aussi par anticiper, par attendre la poursuite ou la répétition de ces échanges qui lui donnent l'impression d'en être le moteur ou le maître. Cette capacité d'anticipation représente la base de la communication, des apprentissages cognitifs et du langage.

1. B. Cramer, T.B. Brazelton. *Les premiers liens*. Paris : Stock/Laurence Pernoud, 1991.

L'accordage

Une autre dimension des échanges entre la mère et l'enfant apparaît particulièrement intéressante et quasi miraculeuse. Il semble qu'il y ait un partage affectif, un partage du vécu émotif entre ce que ressent l'enfant et ce que la mère va soutenir en l'identifiant par un message ajusté. En voici un exemple: « Un garçon de 8½ mois tend la main vers un jouet à peine hors d'atteinte. Silencieusement, il s'étend vers lui, se courbant et étendant les bras et les doigts. Encore trop loin du jouet, il tend son corps pour gagner les 2-3 centimètres nécessaires pour l'atteindre. À ce moment-là, sa mère dit « oooooh... oooooh », avec un effort vocal qui va crescendo. Les efforts vocaux et respiratoires maternels qui s'accélèrent coïncident avec l'effort physique du nourrisson qui va lui aussi en s'accélérant[2]. »

Cette reprise, sur un mode vocal différent, de l'effort et de la poursuite de l'objet par l'enfant représente un exemple de ce que Daniel Stern appelle l'accordage affectif. Tout se passe comme si la mère traduit par ce « oooooh » qu'elle a compris et qu'elle partage l'effort ressenti du petit au moment même où il se produit.

Cet ajustement dans le temps, ce va-et-vient d'actes variés ajustés dans leur forme et leur ressenti émotif culminent dans un espace intersubjectif qui traduit une communion affective particulière qui est très loin d'une simple imitation.

---

2. Daniel N. Stern. *Le monde interpersonnel du nourrisson. Une perspective psychanalytique et développementale.* Paris: Les Presses Universitaires de France, 1985.

La consolation, l'apaisement offerts par la mère en situation de pleurs, de détresse, de peur ou d'inconfort font partie intégrante des échanges précoces entre parent et nourrisson ; ils contribuent à l'émergence d'une autorégulation chez le nourrisson.

La disponibilité

Pour que ces échanges soient possibles, harmonieux et réussis, il faut que les deux partenaires soient disponibles pour ces échanges en feed-back.

Du côté de l'adulte (le plus souvent, il s'agit de la mère), il faut une grande disponibilité et beaucoup de capacités d'adaptation et de souplesse. Pour être réellement disponible, la mère doit être en bonne santé, non fatiguée, non déprimée et intéressée à son enfant. En effet, une mère déprimée ou très fatiguée, par exemple, sera peu sensible aux signaux du bébé, ses mimiques seront pauvres ou très rares et le partenaire, le bébé, ne sera pas sollicité ou peu gratifié par de rares approches sociales. À l'inverse, une mère excessivement verbale, peu attentive à la disponibilité du bébé, trop brusque, trop intense, trop intrusive, non ajustée au rythme ou à l'état d'éveil du bébé ne pourra réussir l'interaction. L'accordage ne sera pas réussi et les deux partenaires seront déçus.

Inversement, le bébé pourrait aussi être peu disponible : ainsi, le bébé prématuré ou de petit poids de naissance a des périodes très courtes de vigilance et de disponibilité. Cette disponibilité réduite ou même absente ne conduira pas à ces échanges harmonieux qui précèdent la communication verbale, tout en l'annonçant. De même, un bébé irritable, de tempérament intense, sera rarement disponible pour profiter de l'accordage affectif, précurseur de tous les autres apprentissages affectifs, cognitifs et verbaux.

L'importance des premiers mois

Les premiers mois de vie et la première année sont donc particulièrement importants, car ils représentent la période initiale de l'attachement et contribuent également à préparer les étapes ultérieures du développement.

Ces périodes de jeux interactifs se reproduisent à plusieurs reprises durant les soins quotidiens et le nourrissage. Cet ajustement merveilleux dans le temps procure aux deux partenaires un plaisir intense qui aura une contrepartie chimique dans leur organisme.

Les substances secrétées lors du plaisir qui enrobe l'interaction ont un effet particulièrement admirable quand on y pense, car ces hormones, contemporaines du plaisir de l'interaction, vont façonner, sculpter dans un ordre prédéterminé certaines portions et cellules du cerveau qui, ultérieurement, vont permettre de gérer l'intensité et l'expression des émotions et de l'activité sociale de l'adulte au cours de sa vie. Les circuits cérébraux du plaisir et de la sécurité se développent ainsi en contrepoids de ceux de l'anxiété et du stress. Ce façonnement précoce résultant des toutes premières interactions du nourrisson avec son environnement teinte déjà le développement émotionnel de l'enfant et de l'adulte.

Si l'on veut bien considérer que les attributs innés du nouveau-né et du jeune nourrisson le préparent et conditionnent cette interaction, qu'en est-il de l'adulte/parent ?

Y aurait-il là encore un élément d'ordre inné qui le prédisposerait à cette interaction raffinée ou bien, au contraire, ces soins et cette sensibilité à l'égard du jeune nourrisson seraient-ils tous appris dans la transmission de la culture elle-même ?

Là encore, la réponse est loin d'être simple. Il est certain que l'attente de l'enfant qui va naître est imprégnée de tout un imaginaire qui renvoie à l'existence des ancêtres et des générations antérieures et à l'espoir d'un prolongement de soi. La majorité des cultures sur notre planète a une révérence particulière à l'égard du nouveau-né porteur de tous les espoirs de ses parents et de la société ambiante.

Par ailleurs, la plupart des adultes sont particulièrement sensibles aux traits particuliers du visage du nouveau-né et du jeune nourrisson. Ce visage arrondi, le front haut, le petit nez retroussé et les joues pleines ont un attrait spécial. L'entendre gazouiller évoque en nous le désir irrépressible de s'approcher, de communiquer et de défendre ce petit être dont la fragilité attise le désir de protéger et de prendre soin.

Ainsi, on retrouve aussi bien chez l'adulte qui en prendra soin que chez le nourrisson, objet de ces soins, des éléments dont certains sont innés et d'autres apportés par l'environnement social.

Les conditions préalables

Cette brève description des échanges précoces entre la mère (ou la personne qui prend soin de l'enfant de façon régulière) et son nourrisson nous apprend qu'il y a des conditions préalables qui favorisent la qualité de ces échanges. Il s'agit du côté parental d'une grande disponibilité, d'une sensibilité permettant d'identifier les moments où le bébé est disponible, c'est-à-dire non affamé, non fatigué, non somnolent. La « mère » sait donc identifier non seulement le moment de l'interaction de ce ballet de gestes, de regards, de caresses et de vocalises, mais elle sait aussi ajuster ses réponses dans un va-et-vient avec l'enfant. Celui-ci répond lui aussi de façon ajustée, accordée au rythme de la mère et vice versa.

Au-delà du plaisir des deux partenaires, le nourrisson apprend à anticiper son tour de rôle ; il apprend également à « contrôler » partiellement la situation, car il peut tout aussi bien amorcer l'échange ou l'interrompre. Cet échange est le précurseur de l'apprentissage du langage lui-même et le précurseur d'acquisitions au plan cognitif.

Ce que l'on vient de décrire, ces périodes d'échanges avant même que le langage formel n'apparaisse chez l'enfant, périodes d'échanges mutuels et harmonieux, se retrouveront dans toutes les cultures humaines, conférant ainsi à cette période d'une durée d'un an environ, la première année de vie pour le nourrisson, une universalité et une importance incontournable. L'importance est confirmée par l'apparition progressive de l'attachement qui conditionnera non seulement la mise en place de réseaux nerveux, mais qui influencera également la qualité des interactions sociales ultérieures.

Ultérieurement, les échanges entre les adultes et l'enfant plus grand, vers 2 et 3 ans, vont devenir plus complexes, enrichis par le langage qui vient soutenir l'interaction entre les parents et l'enfant. Cette période autour de 2 et 3 ans sera plus complexe, car il faudra prendre en compte la mobilité accrue de l'enfant, son irrépressible désir d'exploration, pendant que le parent commencera à vouloir imposer certaines restrictions. Ce sera la période de négociation intense d'autant plus facilement réussie que l'enfant aura déjà intériorisé l'harmonie des échanges antérieurs.

On peut donc affirmer que l'on doit considérer comme particulièrement importante cette période des premiers mois de vie car, lorsqu'elle est réussie et harmonieuse, elle est à l'origine non seulement de l'attachement mais elle contribue aussi à l'ouverture sur le monde et au façonnement de la personnalité de l'enfant et de l'adulte.

CHAPITRE 3

Les différents patterns d'attachement

Nous avons déjà parlé de Mary Ainsworth, cette psychologue canadienne qui est devenue une collaboratrice très proche de Bowlby à Londres et qui a joué un rôle important dans le développement de la théorie de l'attachement. Avant de revenir aux États-Unis où s'est déroulée la plus grande partie de sa carrière, Mary Ainsworth est allée, comme nous l'avons déjà noté, en Ouganda pour observer les réactions des jeunes enfants au moment où ils étaient sevrés du sein de leur mère et où ils allaient vivre avec un autre membre de la famille, selon les coutumes du pays. Mais ces coutumes ayant déjà évolué, elle a plutôt observé le quotidien de ces enfants avec leur mère.

L'observation des comportements variés des enfants qui se produisent en réponse à la façon dont la mère prend en compte leurs besoins l'a conduite à identifier les besoins de réconfort et de protection qui se manifestent chez eux. Elle a aussi pu se rendre compte de ce qui fait que l'enfant se sent en sécurité ou en insécurité. De retour aux États-Unis, à Baltimore, elle a voulu confirmer ces observations; elle a donc consacré plusieurs jours par semaine et plusieurs heures par jour à observer à domicile, avec ses étudiants, le développement d'une trentaine de jeunes enfants et leurs interactions avec leur mère durant toute la première année de vie. C'est à la lumière de ces observations qu'elle a imaginé ce scénario qu'elle a appelé *situation étrange.*

Grâce à cet instrument de recherche, qui se déroule en laboratoire et qui dure un peu moins de 20 minutes, elle a pu démontrer que ce que l'on y observe est étroitement relié à ce qui se passe à la maison dans le quotidien entre une mère et son enfant. Cela l'a amenée éventuellement à distinguer différents profils d'attachement de l'enfant à sa mère.

La *situation étrange*

La *situation étrange* est une mise en situation où l'enfant se voit séparé brièvement de sa mère, à deux reprises sur une période de 18 minutes. Le scénario est expliqué à la mère à l'insu de l'enfant. Puis, les deux sont amenés dans une pièce qui a les allures d'une simple salle d'attente, semblable à celle d'un bureau de professionnel. Il y a là des jouets auxquels la mère intéresse l'enfant ; toutefois, elle le laisse rapidement s'occuper seul et se met à regarder un magazine. Au bout de deux minutes, une personne que l'enfant n'a jamais vue se joint à eux. Celle-ci échange quelques mots avec la mère, puis elle s'approche de l'enfant et se mêle à ses jeux. Sans préavis, contrairement à ce que l'on devrait normalement faire, la mère quitte alors la salle pour revenir après un maximum de deux minutes, à moins que l'enfant ne réagisse trop violemment. Ce départ, qui a donc lieu sans avertissement, a pour but de créer un léger stress chez l'enfant afin d'activer justement son système d'attachement que l'on veut apprécier par cet exercice. Puis, au retour de la mère, la personne étrangère quitte. La mère réconforte au besoin l'enfant, mais l'incite à reprendre ses jeux et à s'occuper seul. Après un autre deux minutes, la mère quitte la pièce encore une fois sans préavis. L'enfant reste seul pendant deux autres minutes ou moins, selon sa capacité de rester seul. Puis, la porte s'ouvre, mais c'est la personne étrangère qui entre et non la mère. Deux minutes plus tard, la mère revient alors que la personne étrangère quitte à nouveau. L'observation se poursuit pendant encore deux minutes.

Il y a donc deux séparations et deux retours de la mère dans un environnement étranger pour l'enfant : les lieux lui sont inconnus de même que l'autre personne. Ce scénario crée une anxiété croissante chez l'enfant : en effet, lors de la première séparation, il est laissé avec une personne sympathique, mais qu'il ne connaît pas, alors qu'à la deuxième séparation, il se retrouve seul dans la pièce. Tout cela est filmé, puis réexaminé et analysé, et a pour but d'observer comment l'enfant réagit au départ de sa mère, comment il se comporte durant son absence et surtout au moment de son retour dans la salle après chacune de ses absences.

Les trois patterns

Trois patterns types ont été observés. **Le premier**, le plus fréquent, est celui où l'enfant pleure un peu au moment du départ de la mère ; il se retrouve tout à coup seul avec une personne qu'il rencontre pour la première fois, dans un lieu nouveau pour lui. Il est normal qu'il soit craintif et qu'il l'exprime par des pleurs. Mais cela ne dure pas, cette personne qui reste avec lui le rassure et lui suggère de continuer à jouer; le petit en effet se calme et continue d'explorer le matériel. Au retour de sa mère, deux minutes plus tard, il se colle à elle dès son arrivée. Toutefois, il retourne assez rapidement à son activité de jeu. On répète le processus de départ deux minutes plus tard ainsi que le processus de retour mais, cette fois, la personne étrangère va s'absenter aussi, rendant la situation un peu plus angoissante.

Si l'enfant accepte de continuer de jouer pendant cette deuxième séparation et s'il accueille avec plaisir sa mère à son retour, en continuant de s'intéresser à l'activité en cours, on dira de l'enfant qu'il a développé dans la relation avec sa mère un **attachement sécure**[3].

> En fait, vous n'êtes pas surpris de ce qui vient de se passer. Vous avez peut-être déjà observé cette capacité qu'a votre enfant de se séparer de vous. Il fréquente déjà une garderie depuis quelques semaines ou mois et, après quelques séparations difficiles, il a accepté de vous laisser partir et vous retrouve maintenant avec plaisir après quelques heures dans ce milieu qu'il a appris à connaître. Votre enfant a développé depuis sa naissance, grâce à ses interactions quotidiennes avec vous, un sentiment de confiance. Il a compris que si vous dites que vous allez revenir tout de suite, c'est bien ce qui va se passer. Cela s'est passé assez souvent de cette façon qu'il a intégré dans sa tête ce sentiment de sécurité qui lui permet d'explorer le monde extérieur même quand vous n'êtes pas là.

3. Les auteurs utilisent indifféremment les termes « sécure », « sûr », « sécurisé », ou « sécurisant » pour qualifier ce type d'attachement.

La majorité des enfants (65 %) éprouve ce type d'**attachement sécure**.

Le **deuxième pattern** est caractérisé par le fait que l'enfant devient très angoissé au moment du premier départ. Il pleure beaucoup et il est difficilement consolable. Il peut éventuellement retourner au jeu qu'il faisait, mais on voit qu'il n'est pas tranquille et qu'il regarde souvent la porte par laquelle sa mère est sortie. Au retour de celle-ci, il se jette dans ses bras et, malgré les efforts maternels pour le convaincre de retourner à ses jeux, il le fait difficilement ; il semble se calmer, se rassurer, mais dès que la mère tente à nouveau de l'éloigner un peu, il résiste, il s'oppose avec presque autant de force que lorsqu'elle est effectivement sortie quelques minutes auparavant. Il cherche constamment à se faire prendre à nouveau. Au moment du deuxième départ et du deuxième retour, on observe les mêmes comportements, le plus souvent de façon plus intense. On dit de cet enfant qu'il a développé un **attachement insécure-résistant** et on l'observe dans 20 % des cas.

On constate que cet enfant résiste au départ de la mère et que, même à son retour, il ne se rassure pas facilement. Il a besoin non seulement de se rapprocher d'elle, mais de rester en contact physique avec elle. Il va s'agripper à sa mère, c'est l'enfant qu'on dit « collant » comme si, depuis sa naissance, les séparations auxquelles il a été soumis avaient été marquées d'imprévisibilité ; peut-être que les séparations avaient été trop longues et qu'il n'avait pu être rassuré convenablement par celle qui le gardait, de sorte qu'il n'avait pu développer autant de confiance que l'enfant sécure. Cet enfant a développé des façons de garder sa mère près de lui en étant irritable, en pleurant plus facilement à la moindre frustration, ce qui ne porte pas sa mère à être toujours gentille avec lui. Cela conduit souvent à une sorte de cercle vicieux de mécontentement réciproque.

Un **troisième pattern** peut aussi être observé dans environ 15 % des cas. Au moment où la mère quitte et ferme la porte derrière elle, ce petit continue tout simplement son activité de jeu, il ne semble pas faire de cas du départ de sa mère. Cet enfant demeure assez oisif, il s'investit peu dans les activités de jeu. Il reste là, en apparence neutre, peut-être rêveur, alors qu'au contraire toute son énergie est employée à surveiller ce qui se passe. Toutefois, fait notable, au retour de sa mère, il ne démontre pas vraiment de plaisir à la revoir et donne l'impression de ne pas l'avoir manquée. Et on observe les mêmes comportements autour du deuxième départ et du deuxième retour. On décrit ici un **attachement insécure-évitant.**

Cet enfant semble avoir déjà appris à constituer une sorte de bulle autour de lui. Il s'intéresse beaucoup à des jeux qu'il explore avec relativement peu de compétence, sans se soucier apparemment de l'absence ou de la présence de sa mère. Il semble en être venu à tenter déjà de se débrouiller tout seul et de présenter ainsi une apparence extérieure d'indépendance et de force ; peut-être parce que, trop souvent, son parent n'a pas été là quand il avait besoin de lui ou qu'il a trop souvent rejeté et même ridiculisé ses tentatives de rapprochement et ses demandes d'aide. Cet enfant ne peut maintenant afficher trop ouvertement sa faiblesse et ses besoins qui sont pourtant présents. Il est intéressant de noter que ces trois patterns ont été retrouvés dans de nombreuses études faites dans plusieurs pays.

Un quatrième pattern d'attachement : désorganisé-désorienté

Les observations faites en se servant de la *situation étrange* sont toutes enregistrées sur bande-vidéo et sont revues par plusieurs personnes qui doivent s'entendre pour décider, à partir de ce qu'elles voient, s'il s'agit d'un attachement sécure ou insécure. On peut comprendre que, dans le cours de ces recherches, un certain nombre d'observations révélaient des enfants qui présentaient un mélange de comportements dits sécures et insécures, de sorte qu'on ne pouvait s'entendre sur le type de pattern à retenir. Ces bandes avaient été mises de côté jusqu'à ce qu'une psychologue américaine, Mary Main, une élève de Mary Ainsworth, décide de consacrer un été, avec une de ses étudiantes, à en revoir une centaine.

C'est ainsi qu'a été décrit un **quatrième pattern** d'attachement, qu'on a appelé **désorganisé-désorienté**. De fait, ces enfants nous démontrent des comportements qui apparaissent contradictoires. En voici le plus bel exemple : au moment où, en *situation étrange*, la mère revient dans la salle après la première séparation, son enfant fait un mouvement d'approche vers elle, pour s'arrêter brusquement, se tenir raide pendant un court moment, et se jeter à terre ou retourner à ses jeux. Le mouvement de rapprochement vers la mère est en somme immédiatement arrêté et ne conduit pas au contact avec elle, mais plutôt à la fuite.

On a graduellement remarqué que ce type de réaction contradictoire semblait se retrouver particulièrement chez des enfants qui vivent dans des milieux dysfonctionnels, mais plus essentiellement chez ceux qui vivent dans une famille maltraitante. Un enfant, bien que victime de son parent, ne peut faire autrement que de s'attacher à lui – il n'a pas d'autre solution, c'est quand même ce seul parent qui est là le plus souvent pour répondre à ses besoins. Ce premier mouvement vers lui au moment du retour en *situation étrange* exprime cet attachement, mais le mouvement d'arrêt et de retrait exprime la peur que cet enfant ressent d'être rejeté, ou même frappé, au moment où il exprime son besoin de rapprochement.

Les parents maltraitants sont fréquemment des parents très contradictoires dans leurs attitudes avec leur enfant. Ils peuvent être affectueux et répondre adéquatement à certains moments, et devenir rapidement agressifs et menaçants à d'autres, sans que l'enfant comprenne ces changements souvent subits. Ses parents lui font peur. Soumis à de tels comportements, cet enfant devient désorienté et présente des comportements complexes qui démontrent la désorganisation de son monde intérieur, d'où cette appellation « **désorganisé-désorienté** ».

Le lien d'attachement au père

Jusqu'ici, il n'est le plus souvent question que de la mère. En effet, c'est la mère qui devient généralement la figure d'attachement prioritaire, du fait qu'elle a porté son enfant pendant toute la grossesse, qu'elle l'a accouché, qu'elle l'a très souvent allaité ou nourri pendant plusieurs semaines ou mois, et qu'elle est souvent plus présente que le père dans les soins quotidiens à l'enfant. C'est à elle que l'enfant va de préférence quand un sentiment de détresse l'envahit.

Mais qu'en est-il du père dans tout ce développement ? Quel rôle joue-t-il, et peut-il lui aussi devenir un personnage aussi important que la mère dans la maturation de son enfant ?

Il est très important de dire d'emblée que le père devient lui aussi figure d'attachement, mais à condition qu'il assure une présence aussi continue que possible dans le quotidien de son enfant. On ne dira jamais assez que c'est dans le quotidien que se créent les liens d'attachement : dans la réponse consistante que fait le parent à tous les signes d'inconfort ou de détresse de son enfant, dans tous ces petits gestes où l'on regarde avec plaisir ce qu'il nous pointe de son doigt. Les repas, le bain, les jeux, l'endormissement et le réveil la nuit sont tous des moments possibles où les interactions entre l'enfant et son père, même si elles sont moins fréquentes qu'avec la mère, construisent un attachement qui, ici aussi, se révélera sécure ou insécure, selon les modalités de réponse du père, de la même façon que cela se joue avec la mère.

Au cours des années soixante-dix, certains chercheurs ont pensé que le père et la mère pouvaient devenir également figure d'attachement, même s'ils ne sont pas aussi présents l'un que l'autre dans le quotidien de leur enfant. Toutefois, à la suite d'une recherche où des pères avaient joué le rôle de figure parentale quotidiennement présente à l'enfant de 8 à 18 mois, on a observé que la mère demeurait quand même la figure principale en situation de stress ; c'est à elle que l'enfant allait en priorité quand la détresse survenait et qu'il avait besoin de réconfort.

Le père, encore une fois, est aussi une figure d'attachement significative, si sa présence consistante lui a permis de bâtir des liens de qualité. On rejoint ici le concept développé déjà par Bowlby d'une « hiérarchie » dans l'attachement.

Les grands-parents

Malgré des changements majeurs dans la société actuelle, les grands-parents demeurent souvent des personnages importants dans la vie d'un enfant, surtout autour de la naissance et des premiers mois et années de vie. Ils peuvent aussi devenir des figures d'attachement pour l'enfant, s'ils le voient fréquemment, mais particulièrement s'ils en assument la garde, souvent ou quotidiennement. La grand-mère en particulier peut jouer un rôle d'encadrement de sa fille si la relation avec elle est demeurée de bonne qualité. Elle peut alors beaucoup influencer la capacité de sa fille à établir avec le nouveau-né le type d'interaction conduisant à un attachement sécure.

Le rôle de la fratrie

Si les familles nombreuses sont moins fréquentes, il est assez rare qu'un enfant soit élevé seul dans sa famille. Un enfant développe nécessairement des liens avec frères et sœurs. Un enfant plus âgé peut devenir une figure d'attachement pour un bébé qui naît plusieurs années plus tard, selon le rôle qu'on peut lui donner dans les soins de cet enfant. On a souvent tendance à mettre l'accent sur la rivalité qui se crée dans une telle situation et ne pas voir que cet aîné peut beaucoup s'occuper de ce nouvel enfant et ainsi tisser des liens significatifs.

On sait aussi que plusieurs enfants d'âge rapproché développent généralement, sous le couvert de comportements agressifs, un attachement qui se révélera important à l'âge adulte, quand des situations de stress intense surviennent.

CHAPITRE 4

Une étape critique : jusqu'à 12-18 mois

Nous avons vu que toutes les études faites dans de nombreux pays en utilisant la *situation étrange* nous informent que le pattern d'attachement sécure est beaucoup plus fréquent (65 %) que les trois patterns dits insécures, soit l'insécure-résistant, l'insécure-évitant et le désorganisé-désorienté. Il est important de noter que ces trois patterns insécures ne représentent pas des réactions pathologiques ; ce sont vraiment ce que l'on peut appeler des mécanismes d'adaptation précoce à des attitudes parentales qui ne répondent pas adéquatement aux besoins du très jeune enfant à mesure qu'il se développe. On verra cependant que l'évolution de certains de ces enfants insécures peut se révéler problématique, surtout chez l'évitant et le désorganisé.

Ces réactions variées de l'enfant de 12 à 18 mois à la séparation d'avec sa mère nous apprennent quelque chose d'essentiel. Elles nous disent où il en est dans la construction d'un sentiment de confiance à l'égard de la figure maternelle et dans l'atteinte d'une sécurité intérieure qui lui permettent de laisser partir sa mère sans se sentir complètement perdu et sans mettre en branle ses mécanismes d'appel (de défense). Dans le cas contraire, on verra apparaître des comportements qui nous montrent déjà l'insécurité qu'il ressent.

Il s'agit d'un mouvement intérieur qui aura, on le verra, des répercussions importantes sur son développement. Le sentiment qu'on peut se fier à son parent est le fondement de l'**estime de soi** et de la socialisation de l'enfant. On accepte de se fier à autrui en autant que se sera développée, à l'intérieur de soi, cette impression que l'on peut se fier à son parent, qu'il ne nous lâchera pas, quel que soit le danger ou l'imprévu qui nous menace. Et si déjà, au lieu de ce sentiment de confiance, c'est un sentiment d'insécurité qui se cristallise, ce sentiment influencera sans doute l'image que l'enfant se fait de lui-même (estime de soi) et sa capacité d'entrer en contact avec les autres, adultes et enfants. « Si on ne m'aime pas, je ne dois pas être aimable, je ne dois pas être bien bon. »

Depuis la grossesse jusqu'à 12-18 mois

L'attachement se prépare chez le parent sans doute durant tous les mois de grossesse, et il se construit spécifiquement durant toute la première année de vie. Certains auteurs croient qu'à l'âge de 1 an, l'attachement est déjà bien constitué ; le fait qu'on soumet le couple mère-enfant ou père-enfant à la *situation étrange* dès l'âge de 12 mois confirme cette opinion. Pourtant, d'autres considèrent que, sur la base très importante des interactions des premiers mois de vie, c'est durant la période qui va de 7-8 mois à 18-24 mois que se cristallisent les liens d'attachement. Les fondements sans doute se construisent durant les premières semaines et mois ; le sourire du 2e ou 3e mois vient conforter le parent de l'humanité de son enfant, les interactions parents-enfant se font plus complexes et gratifiantes durant les mois suivants et conduisent vers le 8e mois à cette réaction d'angoisse devant toute figure nouvelle et au besoin d'être proche du parent protecteur. C'est en effet vers 8 mois que l'enfant commence, dit-on souvent, à devenir « sauvage », c'est-à-dire à manifester de l'appréhension à l'approche d'une figure nouvelle.

Et rappelons que cet attachement de qualité se construit dans la **continuité** du quotidien, dans la **consistance** des interactions parents-enfant et dans un climat de **permanence** qui conduit l'enfant à ce sentiment de **prévisibilité** de son environnement qui lui permet déjà de se dire : « Ils sont toujours là, surtout quand je me sens mal. »

Enfin, c'est autour de la fin de la première année, autour de la marche et de l'exploration du monde extérieur, que l'on observera encore mieux la qualité des liens qui unissent un parent et son enfant. Et c'est cette période que l'on pourra qualifier de critique pour la cristallisation de l'attachement, là où on commence à observer l'enfant dans son exploration du monde.

CHAPITRE 5

Attachement et exploration du monde : de 1 à 3 ans

Les interactions changent de nature au fur et à mesure que l'enfant se développe et que la motricité se déploie. Ainsi à titre d'exemple, autour de 1 an, le petit Pierre est maintenant capable de marcher, et cette acquisition change complètement son monde ainsi que celui de ses parents.

Il peut maintenant s'éloigner du parent avec qui il joue, il peut explorer loin de lui, même dans une pièce adjacente. Mais il revient rapidement voir si son parent est toujours là, il vient montrer ce qu'il vient d'accomplir, se faire valoriser, se faire prendre dans les bras, et il retourne à son jeu. Cet éloignement et ce retour à la mère sont très plaisants à observer et à vivre.

Exploration et autonomie

En même temps, un autre élément apparaît. Dans cette exploration, Pierre veut toucher à tout, manipuler ces objets merveilleux, qu'il peut échapper ou laisser tomber ou vouloir mettre par terre. Ces manipulations qui conduisent à lancer et à jeter sont souvent dangereuses et se terminent par un interdit du parent. On peut évidemment tenter de rendre l'environnement complètement aseptisé. Toutefois, une pièce complètement nue n'est pas l'idéal. Car, après tout, Pierre doit apprendre à explorer, à toucher, à manipuler. Il doit également apprendre à vivre dans le monde merveilleux de ses parents ; ce qui veut dire qu'il est en contact avec toutes sortes de beaux objets, partout dans la maison, qui rappellent à ses parents divers événements importants. Pierre doit apprendre dans le quotidien que l'on ne touche pas certains des objets qui meublent sa maison et qu'il faut constamment y faire attention. Il fait siennes ces interdictions, ce qu'il exprime à sa façon.

> Une jeune mère racontait qu'elle a un jour observé son garçon de 18-20 mois se promenant devant les pots de fleurs alignés devant une fenêtre de leur maison, pointant du doigt chacun de ces pots en disant : non, non, non. Il se rappelait ainsi ce qu'il avait entendu à plusieurs reprises sa mère lui dire qu'on regarde les pots de fleurs, mais non, on n'y touche pas.

Durant cette étape qui va de 12-15 mois à 24-36 mois, on observe aussi, en plus de cette exploration motrice où notre petit Pierre devient de plus en plus mobile et maître de ses mouvements, qu'il développe une forte tendance à vouloir expérimenter lui-même ce que jusqu'ici on devait faire pour lui. Il veut montrer qu'il est capable et qu'il n'a plus besoin de vous. Ce besoin d'autonomie va même jusqu'à s'affirmer à l'encontre de vos demandes ou interdits, et cela l'amène à être très frustré quand vous lui dites non. Il peut alors se jeter par terre en pleurant et en criant (*temper tantrums*), espérant ainsi obtenir ce qu'on lui refuse.

Ce mouvement vers une autonomie plus grande devient donc, tout au long de la deuxième année, le lieu de négociations fréquentes qui devraient la plupart du temps conduire à une coopération de plus en plus grande entre l'enfant et ses parents. C'est tout au cours de cette maturation progressive que le langage apparaît et permet à l'enfant d'exprimer plus clairement ce qu'il désire et ressent. Un dialogue entre lui et le parent permet de rendre l'interaction plus plaisante de part et d'autre.

C'est aussi au cours de cette période de mouvement vers l'autonomie que le parent doit mettre des limites à ce besoin de s'affirmer. Les manifestations physiques de colère contre les parents, contre les objets et contre les autres enfants vont spontanément apparaître et feront l'objet des interdits de la mère et du père ainsi que des éducatrices à la garderie.

Être attentif et disponible à l'égard des besoins de l'enfant ne signifie donc pas faire ses quatre volontés. Au contraire, le parent doit encadrer et diriger l'enfant dans ses explorations, le protéger des situations dangereuses où il pourrait se placer. L'important, c'est de comprendre que le jeune enfant ne fait pas ces choses dangereuses ou destructrices pour attirer l'attention ou se venger du parent, mais bien davantage par curiosité, par besoin d'explorer et d'expérimenter, ce qui ne l'empêche pas de réagir avec colère et opposition aux interdits qui lui sont faits.

Des travaux faits au Québec viennent confirmer que c'est entre l'âge de 17 et 30 mois que ces phénomènes d'agressivité sont particulièrement importants, d'autant plus que ce jeune enfant a un frère ou une sœur plus âgé.

Cette étape que les Américains ont décrite par l'expression « the terrible two's », est sans doute l'une des étapes les plus fragiles dans l'évolution des interactions parents-enfant, car tellement chargée de tensions autour des interdits.

Entre 30 mois et 5 ans, cette agressivité de l'enfant devrait diminuer de façon considérable, sous l'influence de son milieu familial qui joue sans doute un rôle primordial dans le développement de cette capacité de l'enfant d'accepter les interdits qui lui sont transmis. Les interdits font donc partie des interactions quotidiennes et sont, dans un processus normal, graduellement internalisés par l'enfant. L'enfant s'approprie ces limites comme si elles venaient de lui. On observe ainsi, de plus en plus, sa capacité de tolérance à la frustration et d'attente pour obtenir le plaisir recherché.

L'attachement dans tout ça ?

L'expérience clinique et la recherche nous apprennent que cette étape se déroule plus ou moins bien, justement selon la qualité de l'attachement qui s'est développé antérieurement tout au cours de la première année de vie. Cet attachement va maintenant se consolider autour de cette exploration de l'environnement, autour de ces interdits nécessaires, et de la capacité de l'enfant de s'identifier progressivement aux valeurs parentales.

Cette capacité de l'enfant de se soumettre à ces valeurs et de les faire siennes est essentiellement fondée sur la relation de confiance qui s'est développée en lui dans la relation avec ses parents ou avec son parent. Un enfant sécure accepte plus facilement les interdits de ce parent ; il aime lui faire plaisir et il sait aussi depuis longtemps qu'il tient parole. Il sait qu'il peut compter sur lui, que celui-ci, par exemple, va toujours le chercher à la garderie. Il sait aussi, lorsque ce même parent lui dit qu'il doit aller réfléchir dans le coin ou dans sa chambre, qu'il ne le laissera pas là longtemps sans revenir. La confiance et la prévisibilité continuent de jouer leur rôle dans ces situations où les contrôles intérieurs sont en train de s'installer dans la tête de l'enfant. Il internalise les interdits qui lui sont transmis et l'agressivité diminue graduellement.

Quand les crises de colère s'installent et durent longtemps, quand un enfant devient trop souvent agressif, même à la garderie, c'est généralement le signe que la confiance ne s'est pas suffisamment développée, qu'il y a eu aux yeux de l'enfant trop d'imprévisibilité dans le quotidien à la maison, et peut-être trop de rejets ou de menaces d'abandon.

Le rôle du père au cours de la deuxième année est considéré comme particulièrement important, car il est souvent celui qui stimule les activités motrices et l'exploration de l'environnement. C'est aussi lui qui joue souvent un rôle majeur dans la maîtrise de l'agressivité de l'enfant.

Modèles internes et représentations mentales

En somme, un enfant construit à l'intérieur de son cerveau ce que Bowlby a appelé les « **modèles internes** ». La répétition dans le quotidien des soins que l'on donne à son enfant – le nourrir, le caresser, lui parler, l'endormir, le plus souvent dans le plaisir réciproque – ainsi que les réponses que l'on fait à ses appels, à chaque fois qu'il vit des moments d'inconfort, de tristesse, de crainte devant l'inconnu, chaque fois qu'il est fiévreux ou se réveille angoissé la nuit, conduit à la construction de ce sentiment de confiance et de sécurité, ou de non-confiance et d'insécurité si l'intervention tarde à venir ou ne vient pas du tout, laissant l'enfant dans sa détresse.

On en vient à parler de **modèle** pour signifier que cette relation première, fondée sur cet ensemble d'interactions où une figure parentale a répondu – ou non – à tous ces appels de façon consistante, va servir d'exemple pour toutes les situations où l'enfant va se trouver dans une relation nouvelle à mesure qu'il grandit – dans la famille, à la garderie, au parc, à l'école maternelle. L'enfant peut s'appuyer sur cette construction interne, cette image de quelqu'un qui répond adéquatement – ou non – pour réagir, adéquatement ou non, à cette nouvelle personne qui entre en relation avec lui. Car il imagine naturellement que les choses vont se passer de la même façon qu'avec la ou les figures originales.

Le droit à l'erreur : la capacité de réparer

Il ne faut pas croire qu'un parent est constamment disponible ou qu'il comprend toujours spontanément ce que signifie l'appel de son enfant, et qu'il ne se trompe jamais. Il est évident qu'une mère (ou un père) ne réussit pas à être toujours « parfaite », il est clair qu'il y a des ratés dans ce monde interactionnel. Ce qui importe pourtant, c'est de prendre conscience que l'enfant voulait dire autre chose que ce que l'on a compris initialement, que l'on a mal interprété le signal qu'il nous donnait, et que l'on est capable de réparer, tout de suite ou la prochaine fois. On ne se situe pas dans le « tout ou rien » ; cette construction du monde intérieur de l'enfant ne se fait pas en un jour, et elle implique nécessairement des maladresses que l'on peut rattraper. C'est dans cet esprit d'une perfection qui est rarement atteinte que le concept de « mère suffisamment bonne » – « good enough mother » – a été développé par Winnicott et est devenu très utilisé dans le vocabulaire professionnel.

Un parent ne comprend pas toujours immédiatement ce qui se joue dans la tête de son enfant et ce qu'il tente de dire à sa façon. L'essentiel est d'être sensible au fait que la réponse apportée ne semble pas correspondre à la demande et d'être toujours prêt à modifier sa réponse.

CHAPITRE 6

Transmission d'une génération à l'autre

Dans ses travaux réalisés au sein de milieux de grande pauvreté, la réputée psychanalyste d'enfant, Selma Fraiberg, une Américaine, a compris qu'il fallait aller visiter les parents à domicile pour tenter de mieux comprendre ce qui rendait leur enfant hospitalisé si malade.

Par exemple, une petite fille de 16 mois ne mangeait plus et s'était retrouvée à l'hôpital en état de grande détresse. On ne trouvait pourtant aucune raison organique pour expliquer son retard de développement et sa forte tendance à se replier sur elle-même. C'est au cours de visites au domicile de cette enfant que Selma Fraiberg a compris ce qui se jouait entre l'enfant et sa mère. Très rapidement, celle-ci s'est mise à raconter quelle sorte d'enfance elle avait eue, combien elle avait été maltraitée et carencée, et que c'était pour elle très difficile, presque impossible, de s'occuper de son enfant, de la nourrir convenablement, de répondre à ses besoins quotidiens, de sorte que cette petite dépérissait graduellement et se dirigeait vers une mort certaine.

Selma Fraiberg découvrait ce qu'on appelle maintenant la « transmission intergénérationnelle ». Les parents transmettent à leur enfant les patterns d'attachement qui sont les leurs. S'ils ont été élevés en bas âge dans des conditions familiales où leurs besoins fondamentaux ont été régulièrement frustrés, le risque est grand qu'au moment où ils deviennent parents, ils ne retrouvent pas à l'intérieur d'eux-mêmes ces images d'affection et de protection qui leur permettraient de comprendre spontanément les signaux que leur bébé leur transmet, même à l'égard de ses besoins élémentaires. Les compétences parentales de l'adulte sont essentiellement fondées sur la façon dont on s'est occupé de lui comme enfant. En effet, il semble bien que c'est durant l'enfance que se construisent les capacités de prendre soin d'un enfant au cours de toutes les étapes de son propre développement, particulièrement les étapes les plus précoces.

Les catégories de parents

Nous avons vu, au cours des chapitres précédents, le rôle des interactions dans le tissage de liens étroits entre un enfant et ses parents, et l'influence profonde que les parents ont sur leur enfant. Les profils d'attachement spécifiques que nous avons décrit se structurent selon le mode de réponse du parent aux besoins de son enfant.

L'étape suivante fut donc de se demander comment les patterns réactionnels des adultes devenus parents se mettent en place face à leurs enfants, et quelle peut en être l'origine. Dans tous les travaux faits en utilisant la *situation étrange*, les parents furent donc observés, et leurs différences bien notées. On a ainsi élaboré l'hypothèse que leur propre histoire d'attachement pouvait peut-être expliquer leurs comportements auprès de leurs enfants.

Des collègues de Mary Ainsworth ont donc élaboré une entrevue où on demande aux parents de raconter comment ils se souviennent de leur enfance, particulièrement au plan des interactions avec leurs propres parents; en somme leur propre histoire d'attachement. Cette entrevue a permis de décrire trois catégories de parents. La plus fréquente est celle où l'adulte peut parler de son enfance et de ses relations avec ses parents sur un mode organisé et cohérent. Même si l'expérience n'a pas toujours été heureuse, le parent a réussi à résoudre assez bien une situation parfois conflictuelle pour en arriver à un fonctionnement adéquat: c'est le **parent autonome**. Dans la deuxième catégorie en importance, se retrouvent les adultes qui sont encore très impliqués dans des relations qui demeurent conflictuelles avec leurs parents dont ils n'ont jamais pu s'éloigner vraiment. Ils demeurent très présents, et de façon complexe, dans leur vie quotidienne: on parle ici du **parent préoccupé.**

Enfin, ceux de la troisième catégorie se présentent ainsi: leur enfance a été idéale avec les meilleurs parents du monde, mais quand on leur demande de préciser et de donner des exemples concrets, les souvenirs vont plutôt dans une direction bien différente. Ils révèlent qu'ils ont eu des parents plutôt rejetant et ridiculisant face à l'expression de leurs besoins de réconfort, cela pouvant même aller jusqu'au rejet, jusqu'à l'agressivité ou la violence. On décrit ici le **parent détaché.**

Ce qui est remarquable, si on se penche plus avant sur ces histoires, c'est de constater la corrélation entre les trois types de parents et les trois catégories décrites chez les enfants en *situation étrange*: le concept de parent autonome est bien proche de celui de l'enfant sécure, celui de parent préoccupé est proche de celui de l'enfant insécure-résistant et « collant », celui de parent détaché est proche de celui de l'enfant insécure-évitant.

L'on rejoint ici ce que nous appelons la « transmission d'une génération à l'autre » des patterns d'attachement. En effet, plusieurs recherches ont démontré les liens étroits entre les patterns observés chez le parent et la qualité de l'attachement, sécure par opposition à insécure, de leur enfant. Les travaux de Peter Fonagy, effectués à Londres, sont particulièrement intéressants à cet égard. Ce psychanalyste britannique a d'abord étudié avec son équipe une centaine de couples au moment où ils attendaient un enfant, pour connaître leur histoire d'attachement. Dans un deuxième temps, ces chercheurs ont étudié, à l'âge de 12 mois, la relation de l'enfant avec sa mère à l'aide de la *situation étrange* et, à l'âge de 18 mois, avec son père. Ils ont pu ainsi mettre en évidence que dans 75 % des cas, la mère, qui est classifiée comme autonome parce qu'elle a pu développer un attachement sécure avec sa propre mère, a un enfant qui, à l'âge de 12 mois, est sécure dans sa relation avec elle. De la même façon, une mère insécure – préoccupée ou détachée – se retrouve dans environ 75 % des cas avec un enfant insécure. On retrouve des pourcentages presque aussi élevés dans la relation de l'enfant avec son père.

D'autres recherches ont démontré des résultats semblables, de sorte que l'on peut être assez certain que les patterns d'attachement se développent selon la qualité des soins reçus et qu'ils ont tendance à se reproduire dans la génération suivante dans une grande proportion des cas.

Il faut évidemment remarquer que cette transmission n'est pas complètement automatique et qu'on retrouve un certain nombre de situations où la transmission va dans le sens contraire, du sécure vers l'insécure, ou vice-versa. Il n'y a pas d'explication univoque dans ces cas. On peut facilement comprendre que les circonstances qui entourent la naissance d'un enfant et son développement précoce peuvent parfois être défavorables – événement traumatique dans la famille, dépression post-partum, etc. – et altérer les capacités du parent à répondre adéquatement aux besoins de son petit, induisant ainsi chez lui un attachement insécure. Dans le cas contraire, plus heureux, où on retrouve un attachement sécure chez un enfant élevé par une mère elle-même catégorisée comme insécure, il semble que ces mères aient pu conserver cette capacité de se détacher des images de soins infantiles inadéquats. Elles peuvent ainsi en arriver à développer une perception différente de l'enfant et le considérer comme un être vraiment séparé et différent d'elle, possédant des désirs et intentions bien à lui auxquels il faut répondre.

De la même façon, on a pu observer, dans des cas où la mère a été soumise durant son enfance à un environnement violent, qu'elle aura souvent tendance comme parent à trouver difficile de s'engager affectueusement avec son petit, comme si elle craignait d'être elle aussi agressive avec lui. Mais ici aussi, on découvre que, dans bien des cas, une mère ainsi violentée dans son enfance peut se libérer de ces images négatives et répondre adéquatement aux besoins de son enfant, conduisant à un attachement sécure. Devenues conscientes d'avoir vécu leur enfance en présence de parents plus ou moins responsables, ces mères ont appris à compenser cette absence de modèle et sont devenues des parents plus adéquats que ceux qu'elles ont connus dans leur enfance.

Chapitre 7

L'évolution des patterns d'attachement : garderie et école maternelle

Ce sont des groupes de nombreux jeunes enfants – de 12 à 18 mois – qui ont été observés avec leur mère pour en arriver à ces catégories de sécure et insécure (résistant, évitant et désorganisé), de sorte que les résultats obtenus sont très fiables. En très grande majorité, ces enfants faisaient partie de familles stables qui avaient accepté de participer à ces travaux de recherche.

Des travaux importants ont aussi été faits avec des familles issues de milieux défavorisés où l'on pouvait s'attendre à la présence d'un risque développemental plus grand. Un grand nombre de ces enfants et de ces familles ont pu être revus au cours de leur histoire, de sorte qu'on peut connaître comment ils se sont développés. On a maintenant une bonne idée de ce que sont devenus ces enfants à mesure qu'ils ont fait face aux diverses étapes de socialisation et de scolarisation.

Le passage à la garderie est une étape significative dans la vie d'un enfant. C'est l'arrivée dans un groupe, et il faut partager les jouets et accepter d'être attentif à une éducatrice qui anime une activité. Ce sont les véritables débuts de la socialisation. Comment les enfants observés à 12-18 mois vont-ils se comporter dans cette situation nouvelle, face à des activités plaisantes, mais dans un contexte qui peut être stressant parce qu'on n'est plus avec maman ? Vont-ils être différents selon les profils d'attachement qui ont été décrits en bas âge ?

Les observations faites entre 3 ½ ans et 5 ans sont très intéressantes. Les enfants catégorisés comme sécures à 12-18 mois sont ceux qui évoluent le mieux à la garderie et en maternelle. Ils sont autonomes, coopératifs, ils explorent avec plaisir les nouveaux jeux ou les problèmes posés. Ils ont confiance en eux-mêmes, ils sont persistants et flexibles, et particulièrement capables de faire face aux stress quotidiens. Ils sont capables de recevoir et de demander l'aide des autres au besoin. Leur plus grande force est leur compétence sociale : ils s'engagent facilement dans les activités de groupe, ils sont moins fréquemment isolés.

Les observations relatives aux enfants catégorisés comme insécures-résistants à 12-18 mois, ceux qu'on a vus plus dépendants et plus « collés » à leur mère, révèlent en garderie ou en classe maternelle des comportements que l'on peut décrire comme une continuité de leur dépendance originale. Ils sont moins portés à explorer l'environnement, beaucoup plus dépendants de l'éducatrice dans toute situation difficile, souvent décrits par elle comme étant passifs, facilement frustrés, et sans défense. Ils sont moins compétents dans leurs relations avec les autres enfants, plus souvent pleurnichards (« chigneux ») et impulsifs. Ils vont observer les autres qui jouent ensemble sans pouvoir s'intégrer facilement.

Les enfants catégorisés comme insécures-évitants à 12-18 mois démontrent eux aussi en classe maternelle des comportements assez caractéristiques. Ces enfants sont plus souvent isolés, asociaux et peu expressifs de leurs émotions. Ils peuvent être habiles et compétents dans des jeux, mais ils préfèrent souvent rester seuls. Les activités de groupe leur posent plus de défi. Ils maintiennent peu de contact spontané avec les autres enfants. Ils ont aussi peu d'intérêt et d'empathie pour les autres, ils semblent plus indifférents aux échecs et réussites autant pour eux-mêmes que pour les autres.

L'évolution de l'attachement désorganisé

Les enfants qui se retrouvent à 12-18 mois dans la catégorie de l'attachement désorganisé sont plus à risque de présenter en classe maternelle des comportements que l'on qualifie déjà de perturbés. Ils montrent des retards souvent significatifs dans leur développement, particulièrement au plan du langage et de la capacité de se concentrer. Dans les relations avec les autres enfants, ils sont souvent imprévisibles, impulsifs, perturbateurs et agressifs. Face aux éducateurs, ils sont facilement opposants, colériques ou anormalement passifs. Ce sont ceux qui déjà posent aux éducateurs un défi important et où une intervention spécialisée s'avère souvent nécessaire. Les problèmes observés ne surviennent pas au hasard; rappelons que ces enfants viennent en effet le plus souvent de milieux maltraitants. Il n'est pas surprenant qu'à l'arrivée en classe maternelle, ils aient tendance à répéter ce dont ils sont été témoins ou victimes durant leur première enfance.

L'enfant de 5 ans : miroir de ses origines

Ceux qui ont beaucoup étudié le développement des jeunes enfants en viennent à dire qu'à l'âge de 5 ans, un enfant démontre déjà une personnalité cohérente dans sa façon de se contrôler lui-même et de faire face à son environnement social, et que cette organisation cohérente est en étroite relation avec la qualité des soins reçus et des patterns établis tout au cours des premières années, dans sa relation d'attachement avec ses figures parentales. En somme, les notions de qualité de l'attachement et de qualité du développement sont en étroite relation, un attachement de qualité conduit à une exploration efficace et à un développement de qualité. De même, la notion d'estime de soi est directement reliée aux comportements parentaux qui induisent un attachement de qualité.

De la même façon, à 5 ans, les enfants présentant un attachement insécure de type résistant ou évitant continuent de montrer les mêmes caractéristiques que celles énumérées antérieurement.

Quant à ceux qui présentent un pattern d'attachement désorganisé, ils continuent de présenter moins de cohérence et d'autonomie, moins de compétence sociale. Ils sont plus dépendants, impulsifs ou isolés. Ce sont aussi ceux qui démontraient déjà en bas âge des signes d'insécurité étroitement reliés à des comportements parentaux plus insensibles, plus imprévisibles ou rejetants. Le plus souvent, ils se retrouvent parmi les enfants problèmes, cumulant trouble de la conduite et du comportement et retard grave d'apprentissage. Ces enfants doivent nécessairement être bien évalués par des professionnels et il est rare qu'ils puissent retrouver un fonctionnement adéquat sans une aide spécialisée.

Toutefois, heureusement, tout n'est jamais complètement joué. On doit toujours se rappeler que le cerveau humain possède une plasticité qui permet des changements tout au long du développement. L'attention, la cohérence, la continuité dans l'approche d'un éducateur, d'un professeur ou d'un autre adulte intervenant auprès de l'enfant peut être parfois l'élément qui déclenche chez cet enfant une perception différente de l'autre et de lui-même, l'aidant à améliorer ses capacités sociales et d'apprentissage. Certains parleront ici de résilience, mais on reviendra sur ce concept un peu plus loin (voir au chapitre 12).

CHAPITRE 8

L'évolution des patterns d'attachement : en route vers l'adolescence

Les 6-12 ans

Dans les années qui vont du début de la fréquentation de l'école primaire jusqu'à l'école secondaire – entre 6 et 12 ans – les enfants vivent beaucoup en dehors du milieu familial. De plus, ils ont des objectifs qui les font se tourner de plus en plus vers l'atteinte de compétences variées : l'apprentissage de la lecture, de l'écriture et de connaissances diverses, l'apprentissage de la socialisation ou se faire des amis et apprendre à vivre avec eux sans se chicaner constamment, l'apprentissage aussi d'activités motrices et sportives de plus en plus sophistiquées où la vie de groupe est un élément essentiel.

Tout au cours de ces années et de ce passage obligé vers un monde extérieur très compétitif et aussi très valorisant, le garçon et la fille ne s'éloignent pas vraiment de leurs parents, de leurs figures d'attachement. D'ailleurs, ceux-ci continuent de jouer leur rôle de suivi quotidien de ce qui s'est passé à l'école, de ce qui s'est joué avec les copains, des réussites et des échecs. Ce jeune, depuis longtemps déjà, a appris dans la fréquentation scolaire à se séparer de ses parents dans le quotidien ; il peut aller coucher une fin de semaine chez un ami ou même partir une semaine complète au camp de neige avec sa classe. On peut alors observer sa capacité de s'éloigner et d'explorer encore plus l'environnement. On peut aussi observer, à mesure que les années passent, comment il fait appel à sa mère ou à son père, bases de sécurité, dans les moments plus difficiles où l'angoisse ou la tristesse surviennent en réaction à une socialisation plus évoluée.

Durant cette période du développement qui recouvre les âges allant de 6 à 12 ans, les enfants sécures s'avèrent ici aussi les plus socialement compétents, des participants actifs dans le groupe, et moins fréquemment isolés. Ils jouent souvent un rôle apprécié de leader au sein de leur groupe de pairs. Ce sont ceux qui se font facilement des amis avec qui ils ont besoin de passer du temps, sans entrer fréquemment en conflit.

Quant aux enfants insécures-résistants (« collants »), dès leur premier développement, ils demeurent toujours plus dépendants de leurs éducateurs et de leurs parents, plus à la recherche d'attention en situation de stress. Les évitants, pour leur part, sont toujours plus isolés, et sont ceux que les éducateurs doivent aller chercher pour les aider, car ils ne le demandent pas spontanément. Enfin, ceux qui sont plus difficiles, opposants avec les éducateurs, agressifs avec leurs pairs, et peu intéressés au plan scolaire, il faut penser qu'ils auraient probablement été catégorisés comme désorganisés au plan de leur attachement dans leur première enfance et qu'ils vivent peut-être encore dans un milieu familial problématique.

On voit ainsi que les années d'apprentissage scolaire et social constituent pour la plupart des enfants – et des parents – une époque heureuse où se consolident les acquis affectifs et cognitifs des premières années. Toutefois, pour ceux qui ont une histoire d'insécurité, ces années représentent une étape plus difficile. Le milieu familial et le milieu de l'éducation doivent alors travailler en étroite collaboration pour éviter les retards cognitifs et l'apparition de symptômes gênant le développement global de ces enfants.

C'est sur ce terrain que s'amorce, vers l'âge de 12-13 ans, la période souvent beaucoup plus agitée qu'est l'adolescence, cette étape majeure dans l'atteinte de l'autonomie, de l'individuation et dans la construction de la personnalité de chacun.

Les ados

Les parents parlent maintenant très tôt de leur ado, quand **celui-ci** commence à s'opposer plus facilement aux consignes parentales, quand il tient à rentrer ou à se coucher plus tard, quand il passe de plus en plus de temps à l'ordinateur à l'abri du regard parental, alors que **celle-ci** met beaucoup plus de temps à s'occuper de son apparence et à d'interminables conversations téléphoniques, etc.

Sous des dehors qui varient selon les époques et qui suivent souvent des modes très changeantes, il se joue ici quelque chose d'essentiel: la recherche et l'atteinte d'une autonomie nouvelle, plus profonde, fondée sur la remise en question de ses attachements sans toutefois les mettre de côté, conduisant à la capacité d'être soi: devenir cet individu qui décide de son propre chemin dans le monde de l'étude et du travail et qui fera éventuellement le choix d'une vie conjugale et de procréation, le passage en somme d'être « objet de soins » de ses parents à celui de « parent » (« caregiver »).

Il est intéressant de considérer ces années – depuis l'âge de 12-13 ans, peut-être plus tôt chez la fille, jusqu'à l'âge de 18-20 ans – dans l'éclairage de la théorie de l'attachement.

Il faut se rappeler de ce que nous avons vu se dérouler chez le jeune enfant entre l'âge de 12-18 mois et celui de 24-36 mois: l'enfant exprime de plus en plus, et de façon organisée, son désir de faire lui-même ce qu'il veut faire et, souvent, peut faire seul, il va même jusqu'à s'opposer aux demandes et interdits de son parent, conduisant ainsi à des négociations fréquentes. On a parlé d'un « partenariat » entre parent et enfant, où le parent considère déjà son petit comme quelqu'un qui a des intentions précises, même si elles ne sont pas nécessairement appropriées, avec qui on apprend à discuter pour en arriver conjointement à une solution réaliste où les deux sont satisfaits de l'entente.

On peut comprendre un grand nombre des relations parents-adolescent à la lumière d'une période passée qui reste encore très proche dans l'esprit des parents. L'adolescent – fille ou garçon – est aux prises, à l'intérieur d'un remaniement endocrinien extrêmement puissant auquel il est physiologiquement soumis, avec des besoins instinctuels nouveaux qui le poussent vers des objectifs nouveaux, cognitifs et affectifs. Il est beaucoup porté vers une socialisation nouvelle dont la sexualité émergente est une composante significative. Il est ainsi nécessairement porté à s'éloigner du milieu familial et les parents, qui connaissent bien de quoi il s'agit – car ils ne peuvent avoir complètement oublié leur passage personnel à travers cette étape de leur vie – sentent le besoin de « monitorer » ces expériences de leur « petit » en train de devenir « grand ». À l'adolescence, comme avec l'enfant de 2-3 ans, les négociations sont fréquentes et ne sont pas nécessairement aussi faciles qu'elles l'étaient avec le tout-petit.

On voit ici le « versant exploration » du processus d'attachement se dérouler graduellement au cours de la découverte d'un monde merveilleux qui prend des formes variées : atteinte de compétences physiques toujours plus poussées et découvertes intellectuelles – le monde de la littérature, du cinéma, de la philosophie, des sciences, la découverte du monde féminin ou masculin jusque-là facilement méprisé.

Tout cela se déroule dans un climat de remise en question des images parentales et de ce qu'elles ont transmis depuis la naissance, d'eux-mêmes et de leurs objectifs, pour en arriver à une nouvelle image de soi et de l'autre, celle-ci plus réaliste, moins idéalisée et, espérons-le, sans le rejet total du passé.

Il y a ici une donnée complètement nouvelle : les liens significatifs que l'adolescent tisse avec ses pairs prennent la forme soit de grandes amitiés, soit de liens de nature plus romantique et sexualisée. Ces relations intenses peuvent être vues comme des relations d'attachement, jouant le rôle de réponse à des besoins de proximité, de sécurité, dans un monde intérieur perçu comme difficilement compréhensible et parfois même dangereux.

Il est par ailleurs de plus en plus clair, à la lumière des recherches les plus récentes, que la qualité de l'attachement mis en place au cours des premières années joue un rôle important dans la façon dont cet adolescent fait face aux conflits inhérents à cette étape majeure de son développement. L'adolescent chez qui s'est construit un attachement sécure au cours des premières années de son développement est mieux équipé pour faire face aux affects et conflits inhérents à cette époque souvent troublée. Il se laisse moins facilement entraîner à faire usage de drogues ou d'alcool. On remarque chez ces jeunes de grandes qualités au plan de la socialisation avec leurs pairs des deux sexes. Ils sont plus sûrs d'eux-mêmes et révèlent des qualités de leader qui les font souvent être choisis pour parler au nom des autres.

Dans l'exploration nouvelle du monde, la présence d'un attachement insécure-résistant conduirait plus facilement à des affects anxieux ou dépressifs. Par ailleurs, la présence d'un attachement insécure-évitant oriente souvent ces jeunes vers des troubles de conduite et l'expérimentation des drogues si faciles d'accès dans leur environnement. Mais ce sont les adolescents chez qui on retrouvait dès la première enfance un attachement désorganisé qui sont, à cette étape, les plus à risque de développer des troubles du comportement qui peuvent nécessiter une intervention professionnelle.

Le milieu familial est toujours essentiel

Les parents ont nécessairement un rôle très important à jouer dans le soutien à apporter à leur jeune en route vers l'âge adulte. Ici aussi, comme aux premières étapes, la continuité et la consistance d'une présence à la fois chaleureuse et ferme, qui ont déjà permis de construire un attachement sécure, demeurent les qualités parentales essentielles au cours de ces années souvent difficiles. Pour les parents qui ont éprouvé des difficultés à jouer ce rôle au cours de la première enfance et qui se retrouvent avec des adolescents insécures et plus troublés, il faut rappeler que l'adolescence doit aussi être vue comme une époque nouvelle où les échecs des premières étapes peuvent être rattrapés et les problèmes atténués, à l'intérieur même du milieu familial ou avec une aide appropriée du milieu environnant.

CHAPITRE 9

L'attachement au sein des familles modernes : retour au travail et garderie

Nous sommes bien loin de l'époque où nous mourions dans cette même ville, dans ce même quartier ou village où nous étions nés, que nous faisions toutes nos études dans la même école, que nous travaillions toute notre vie auprès du même employeur. Tout bouge et change maintenant à un rythme accéléré et souvent imprévisible. Les familles elles-mêmes vivent l'instabilité, leur structure connaît dans beaucoup de cas des remaniements multiples. Les parents se séparent, de nouveaux conjoints surviennent accompagnés de nouveaux demi-frères et sœurs. Si les parents ont peu d'enfants, ceux-ci par contre se retrouvent avec de plus en plus de parents, d'oncles et de tantes, de grands-parents, etc. Toute cette structure sociale en constante mouvance est susceptible de poser un défi de taille au développement d'un attachement de qualité puisqu'il semble, selon ce que l'on a dit jusqu'à maintenant, trouver son fondement dans la continuité et la consistance ainsi que la prévisibilité.

On peut donc très justement se demander si, à travers cette vie tumultueuse, nous ne sommes pas en train de rater nos enfants. Faut-il vraiment laisser son travail, rester à la maison, refuser l'avancement professionnel pour rester plus disponible à la famille ? La présence continue et des repères stables ne sont pas nécessairement un gage de consistance et de prévisibilité. En effet, ce n'est pas parce que nos mères étaient constamment à la maison qu'elles s'occupaient nécessairement mieux de nous. Au-delà de la présence, c'est l'attention, l'intérêt, la capacité de comprendre et de répondre aux besoins du jeune enfant qui donnent à la relation cette qualité qui favorise l'éclosion d'un attachement réussi.

Beaucoup de nos mères, bien que toujours là, n'étaient pas disponibles à leurs enfants, préoccupées qu'elles étaient des soins du ménage, des repas et de ces innombrables tâches domestiques auparavant beaucoup plus complexes dans leur réalisation qu'elles ne le sont maintenant. Faire le lavage, se nourrir et se vêtir, tout cela est beaucoup plus simple de nos jours et laisse, somme toute, un espace de temps supplémentaire que les mères peuvent consacrer à autre chose, comme travailler à l'extérieur. Ce n'est parce qu'on est là qu'on est plus présent. Être présent, nous en conviendrons facilement, ne signifie pas nécessairement être attentif ou disponible. Même aujourd'hui, combien de parents, pourtant toujours à la maison, ne sont pas réellement présents, c'est-à-dire disponibles et sensibles à leurs enfants. En bout de ligne, la vie moderne donne peut-être plus l'impression de compliquer les choses qu'elle ne le fait en réalité.

Comment donc apporter à nos enfants la continuité et l'attention propice au développement d'un attachement sécure au sein d'une vie familiale souvent plus discontinue que stable et permanente ? La première année de la vie de nos petits surtout, et également la deuxième sont très importantes pour la mise en place de liens d'attachement de qualité. Aussi, est-il important que la mère puisse être disponible à l'enfant durant cette période. Les mesures sociales qui tendent à favoriser le maintien de la mère auprès de l'enfant durant ces premières années de vie sont déjà en place pour beaucoup et doivent être encouragées et développées. Pour qu'elles soient disponibles à la maternité, il est important que les femmes sentent qu'une grossesse ne handicapera pas leur vie professionnelle, qu'elles ne perdront pas leur emploi ni leurs chances d'avancement. Il est en quelque sorte important que la mère qui reste auprès de son nouveau-né se sente en sécurité à cet égard. Il faut qu'elle puisse se sentir confortable et sécure en regard de ses propres besoins et aspirations dans ce rôle transitoire de femme à la maison. Ce sont là des bases quasi essentielles pour permettre une disponibilité mentale adéquate au rôle de mère.

Le retour au travail : plusieurs figures d'attachement ?

Même si c'est la mère qui, par sa grossesse et son rôle de nourrice, assume l'essentiel des soins et des réponses aux besoins fondamentaux du nourrisson, celui-ci se voit confié assez tôt aux soins de tierces personnes. Le plus souvent, c'est d'abord le père, conjointement avec la mère. Puis une autre personne, une gardienne ou une éducatrice, entre dans l'univers du nourrisson. Si la mère doit reprendre le travail après le congé parental, très souvent le bébé est confié aux soins d'une garderie (CPE, garderie privée, garderie en milieu familial, gardienne à la maison, etc.). Le bébé est capable très tôt de différencier les personnes qui gravitent autour de lui. De fait, la très grande majorité des nourrissons le manifestent clairement vers l'âge de 8 à 10 mois : ils font la moue ou pleurent à la venue de personnes qu'ils ne connaissent pas alors qu'ils manifestent un intérêt et un plaisir net à l'approche de personnes familières.

Le nourrisson vit d'autant plus facilement la transition vers de nouvelles personnes que celles-ci possèdent des aptitudes de compréhension de ses besoins et y apportent les réponses auxquelles il est habitué. Il ne s'adapte pas facilement aux personnes qui ont de la difficulté à décoder ses demandes. Nous disons souvent de ces personnes qu'elles n'ont pas « le tour de » : les comportements du bébé dans ces circonstances changent, il demeure raide, sans sourire, le visage inquiet, irritable. Il peut devenir inconsolable. Avant de confier un bébé à une nouvelle personne, même transitoirement, il est donc important de vérifier que les deux sont capables de communiquer, que cet adulte nouveau comprend les demandes de l'enfant et qu'il est capable de lui répondre d'une manière qui le rassure. À travers cette compréhension mutuelle, il faut par ailleurs assurer une certaine continuité : il est important de ne pas trop élargir le nombre des personnes qui sont, à cette époque de sa vie, appelées à prendre soin de lui.

On peut parfois s'inquiéter qu'un enfant placé en garderie toute la journée passe ainsi plus de temps avec sa gardienne ou son éducatrice qu'avec sa mère. Il faut prendre conscience qu'il existe dans une journée des moments beaucoup plus chargés affectivement que d'autres, et que c'est autour des repas du matin et du soir, au moment de l'endormissement et des réveils la nuit que les interactions mère-enfant et père-enfant sont les plus intenses et les plus favorables à la construction d'un attachement sécure. L'enfant apprend vite qui est, entre la gardienne ou l'éducatrice et sa mère, la personne principale qu'il appellera « maman ». Certains chercheurs s'inquiètent encore pourtant des trop longues journées passées à la garderie, très tôt dans la vie de l'enfant.

Au-delà de la qualité des personnes, de leur nombre et du moment de leur présence, la séquence de leur présence auprès du nourrisson est probablement bien importante. Afin de préserver la prévisibilité, il faut que la succession dans l'échange des personnes soignantes connaisse une certaine régularité ou soit rendu prévisible. Ainsi, on peut penser qu'il est préférable que les changements de personnes qui en prennent soin se fassent alors que le bébé est éveillé, dans un état où il est susceptible de s'en rendre compte plutôt qu'à son insu, comme lorsqu'il dort. On a souvent trop tendance à penser qu'un bébé ne comprend pas, qu'il n'est pas utile de le prévenir. Certes, la compréhension du langage, des mots, du verbe, ne se fait au mieux que vers la fin de la première année de vie. Mais dès avant, le nourrisson est capable de comprendre ou de ressentir les routines comme annonciatrices de ce qui s'en vient. Il ne faut donc pas négliger cet aspect et s'en servir pour introduire en quelque sorte la personne vers laquelle l'enfant est dirigé pour la prise en charge de ses soins. Il est donc important, au début du moins, que la transition se fasse de la mère vers la même éducatrice et pour des périodes d'abord courtes.

Il faut en somme comprendre que le nourrisson développe un attachement secondaire à toute personne sensible et stable qui répond bien à tous ses besoins durant ses deux premières années. Cet attachement est non seulement normal, mais souhaitable et sain. Les éducatrices auprès desquelles il vit d'assez grands moments de sa vie sont des figures d'attachement secondaire qui consolident le sentiment de sécurité et favorisent l'estime de soi. Les éducatrices ne sont pas des rivales de la mère, mais des substituts qui devraient sécuriser l'enfant en l'absence de celle-ci. Il est important de prendre conscience de l'importance que ces personnes prennent dans la vie de nos petits et de les préparer à la séparation s'il devient nécessaire de changer de gardienne ou d'éducatrice.

Faire garder tôt dans sa vie un jeune nourrisson ne compromet pas nécessairement son développement ni son attachement à sa mère dans la mesure où l'éducatrice est stable, s'inscrit dans son approche du bébé en continuité avec les façons de faire de la maman, et dans un cycle de passage de l'une à l'autre prévisible et stable.

Une adaptation à faire

En raison du retour au travail de la mère à la fin du congé parental, l'enfant se retrouve en dehors du milieu familial. Il est important de comprendre qu'il est possible qu'il vive difficilement ce changement, d'où la nécessité de préparer la transition – en collaboration avec toutes les personnes qui en prennent soin –, de la lui annoncer à l'avance et d'en parler avec lui.

Le passage entre un environnement familial (maison, gardienne, garderie en milieu familial) et un environnement plus institutionnel n'est pas toujours aisé. Ce lieu de garde s'avère souvent un milieu plus complexe et mieux organisé selon notre vision adulte des choses. Il y a plus d'enfants, une routine différente où l'enfant commence à devoir assumer de petites responsabilités face à lui-même. Il a à ranger ses vêtements, ses choses personnelles à un endroit précis. Il doit participer davantage à l'habillement, manger seul. Puis, il se retrouve inséré dans une petite société avec d'autres enfants de son âge où il a à partager activités, jeux et tâches. La vraie socialisation en dehors du milieu familial commence.

C'est à l'entrée dans ce nouveau monde que son système d'attachement est le plus intensément sollicité. Les figures jusque-là familières et rassurantes ne sont plus là. Il y a de plus le partage, la concurrence. Comment gérer la frustration de ne pas connaître, de ne pas pouvoir, de devoir attendre? Les enfants présentant un attachement **sécure** vivent plus facilement cette adaptation. Ils ont l'apprentissage de l'autonomie plus facile.

Cela ne veut pas dire que la séparation d'avec les parents à l'arrivée à la garderie se fait sans difficulté, bien au contraire. Il est tout à fait normal que l'anxiété le gagne et qu'il ne veuille pas laisser repartir le parent qui l'y conduit. Mais s'il sent l'enthousiasme et la confiance du parent envers ce milieu, il l'abordera avec plus de confiance. Il endossera d'autant plus facilement ces sentiments que la personne qui l'accompagne est pour lui une figure d'attachement significative et sécurisante. Comme dans la *situation étrange*, il laissera partir non sans inquiétude et tristesse la personne significative, mais il sera assez rapidement capable de se laisser rassurer par une nouvelle personne qui saura le recevoir, le comprendre dans ses inquiétudes et ses besoins. Les éducatrices diront : « Oui, il pleure quand vous partez, mais très rapidement il se console, s'intéresse aux jouets, copains et activités. Et plus rien n'y paraît de la journée. » Au retour, il vous accueille avec le sourire et, de façon assez surprenante, au bout de quelque temps, ne montre plus vraiment d'empressement à quitter ce milieu.

L'enfant qui présente un attachement **insécure-résistant** sera plus difficile à rassurer. Il restera plus collé à l'éducatrice, aura de la difficulté à s'en éloigner pour explorer les activités de la garderie. Souvent, à la moindre contrariété, il fond en larmes et recherche impérativement l'assistance de l'éducatrice. C'est un enfant qui pleure beaucoup et qui a beaucoup besoin de la proximité des adultes de la garderie. Quant à l'enfant **insécure-évitant**, il est d'emblée très autonome, réagit très peu au départ des parents. Il s'arrange seul, joue plutôt seul. Il observe beaucoup tout ce qui se passe. Face aux conflits et contrariétés, il cherche à se garder le meilleur, même s'il faut pour cela frapper et bousculer les autres. Il recherche peu l'aide de l'adulte. Les reproches de l'éducatrice ne semblent pas vraiment l'atteindre.

L'enfant qui présente un attachement **désorienté-désorganisé** est un enfant beaucoup plus compliqué. Ses réactions sont souvent imprévisibles. Au départ des parents, il peut s'isoler, s'abstraire de la réalité, s'enfermer dans un comportement neutre presque boudeur ; puis, en d'autres moments, s'engager dans une activité désordonnée où il touche tout, déplace tout, s'agite et désorganise les routines et les activités du groupe. Il peut sembler s'engager avec intérêt dans une activité qu'il abandonne brusquement sans raison apparente. Aux remarques de l'éducatrice, il peut parfois réagir avec violence et opposition tout autant qu'avec indifférence à d'autres moments. Il se présente souvent dès le départ comme un enfant dont le développement, surtout langagier, est moins avancé que celui de ses collègues de garderie.

Risques potentiels de ce passage

Il est nécessaire, avant de conclure sur cette période de garde en milieu substitut, de dire un mot des risques possibles de soins inadéquats, voire de véritable maltraitance au sein d'un milieu de garde. Ces risques, quoique rares, existent malheureusement. Comment les détecter, comment s'en prémunir? La première chose consiste à obtenir des références et, idéalement, parler avec quelqu'un de confiance qui fait ou qui a fait garder son enfant dans le même milieu. En deuxième lieu, il faut prendre le temps d'établir des contacts avec les autres parents qui y font aussi garder leurs enfants au hasard des rencontres fortuites, au moment où l'on va reconduire ou chercher son petit. Pouvoir échanger avec les autres parents peut permettre de valider éventuellement certaines impressions et de partager certaines inquiétudes.

Toutefois, le plus important est de bien observer les réactions de son enfant; porter attention principalement à celles qu'il présente lorsque l'on va le chercher à la garderie. Comme dans la *situation étrange*, c'est au moment des retrouvailles que les choses les plus significatives se produisent le plus souvent. Au moment où on laisse l'enfant, nous l'avons vu plus haut, la séparation peut être difficile sans que cela ait à faire avec la qualité de la garderie. Mais au retour, cette garderie devrait avoir été en mesure de rassurer l'enfant durant votre absence. Il faut s'inquiéter quand, au retour, le petit est demeuré inconsolable, qu'il vous apparaît étrangement changé, apathique, éteint par exemple. Ou encore s'il montre un besoin inhabituel de se coller, de s'accrocher à vous. De telles réactions peuvent être tolérables les deux ou trois premiers jours. Mais si elles persistent ou encore si elles apparaissent, elles doivent être prises en considération parce qu'elles signifient que votre petit n'arrive pas à se sécuriser dans ce milieu. De deux choses l'une, ou c'est lui ou c'est la garderie qui est en cause. S'il ne présente pas ce genre d'attitude lorsqu'il est gardé ailleurs, comme chez grand-maman, il faut s'interroger sur la garderie et son personnel. Le problème est plus probablement là. Cela ne veut pas nécessairement dire que c'est une mauvaise garderie, mais cela signifie qu'elle ne lui convient pas.

CHAPITRE 10

L'attachement au sein des familles modernes : les parents se séparent

Que se passe-t-il quand la séparation des parents survient ? Il faut tout d'abord se rappeler que les enfants sont beaucoup plus sensibles à la discorde qu'à la séparation. La séparation, ils la vivent au quotidien déjà. En effet, ils sont habitués à voir partir leurs parents pour le travail, par exemple. La séparation entraîne des départs plus longs, elle change surtout l'équilibre du milieu de vie, la dynamique quotidienne. Plein de nouvelles choses surgissent, disputes, engueulades apparaissent ou s'intensifient. Papa, maman sont moins disponibles, moins attentifs à l'enfant. Souvent plus captifs de leurs propres conflits, les parents développent à l'égard de l'enfant des attitudes et des comportements nouveaux qu'ils ne se sont jamais ou que très rarement permis par le passé. La dynamique de l'interaction entre parents et enfant change tout à coup ; la prévisibilité est soudainement perdue. Désorienté à son tour, l'enfant développe des réactions et des comportements qu'on ne lui avait pas connus auparavant.

C'est certes une période difficile. Mais il peut parfois en être autrement. En effet, la séparation dans certains cas amène au contraire un apaisement des relations parentales déjà très tendues. Moins de cris et de violence, cela rend la vie plus paisible et plus prévisible.

Quand survient la question du partage du temps auprès de l'enfant, les choses deviennent souvent plus complexes car les véritables enjeux sous-jacents à ce partage du temps de garde sont souvent davantage de nature pécuniaire que centrés sur les réalités ou les besoins de l'enfant. On ne cherche pas uniquement à partager la présence auprès de l'enfant, mais les coûts monétaires liés à son entretien. Il y a quelques années encore, le modèle était relativement simple. Le père pourvoyeur traditionnel, et peu présent de toute façon à l'enfant, continuait d'assumer une bonne partie des coûts financiers et voyait l'enfant par périodes discontinues d'une fin de semaine sur deux. L'enfant conservait une présence prépondérante de la mère, ce qu'il avait le plus souvent toujours vécu, et un lieu de résidence principale. Un chez-lui bien unique. Ce modèle n'était pas nécessairement idéal et dépourvu d'inconvénient. Il n'empêchait pas la discorde ouverte entre ex-conjoints, le discrédit mutuel. Et c'est plus essentiellement cela qui confond l'enfant et crée l'anxiété et l'insécurité. L'enfant n'est pas dans une relation de conjoint avec son père ou sa mère, mais de fils ou de fille. Il ne perçoit pas son père ou sa mère à travers le même prisme que celui des ex-conjoints entre eux.

De nos jours, dans les séparations, les choses se présentent le plus souvent différemment. Les pères modernes sont plus engagés auprès de leurs enfants, ou du moins le croient-ils. Les deux parents travaillent et le partage des coûts est souvent déjà une réalité établie avant même la séparation. Après la séparation, les ex-conjoints veulent maintenir la même proportion dans le partage financier ainsi que dans le partage de la garde de l'enfant. Ce qui, à première vue, peut apparaître équitable, est peut-être finalement contre nature. Comment, par exemple, un nourrisson qui passe une semaine chez papa et une semaine chez maman peut-il arriver à développer une figure d'attachement principale et se constituer une base de sécurité autour de celle-ci ? Chez les plus vieux, comment arriver à développer un sentiment d'appartenance quand on est un itinérant filial, sans domicile fixe, une semaine chez l'un, une semaine chez l'autre ? Quand, en plus du lieu, ce sont aussi les effets personnels qui deviennent non transférables, les vêtements de chez papa, les vêtements de chez maman ? Comment, à leur place, vivrions-nous cela ?

Les enfants peuvent probablement vivre assez bien la séparation des parents dans la mesure où les mêmes valeurs sont maintenues : continuité, conformité et prévisibilité. Dans un monde peut-être idéal, les ex-conjoints devraient pouvoir faire taire leur animosité mutuelle quand il s'agit de gérer la vie de leur enfant. Cela veut dire accepter que l'un des deux parents joue un rôle prépondérant à l'égard de l'enfant. Là où il y a plusieurs enfants, ce rôle peut revenir, à l'égard d'un enfant en particulier, soit au père soit à la mère selon les affinités pressenties du petit. En d'autres termes, il n'est pas nécessaire que ce rôle prépondérant à l'égard de tous les enfants soit assumé par un seul et même parent. Cela signifie aussi qu'il faut accepter que l'enfant passe plus de temps auprès de ce parent prépondérant. Faire en sorte qu'il ait un milieu de vie bien identifié, qu'il n'ait plus à hésiter quand on lui demande où il reste. L'enfant ainsi élevé, qui a eu la chance de développer un attachement sécure à l'égard d'une figure parentale principale, pourra devenir éventuellement plus épanoui et autonome. Il n'est pas exclu qu'au fil des ans, à mesure qu'il vieillit, il puisse lui apparaître plus intéressant de s'installer plus à demeure chez l'autre parent. Il lui sera certainement plus facile de naviguer s'il a connu un port d'attache fiable et sécurisant qu'un perpétuel entre-deux.

Nouvelle famille : attachement nouveau ?

Voilà tout à coup que, chez maman ou chez papa, il y a un nouveau conjoint. Se pourrait-il que l'enfant développe à l'égard de cette personne avec qui il vit quotidiennement un attachement plus significatif qu'à l'égard de son autre parent ? L'âge de l'enfant, le lien qu'il a déjà avec le parent qu'il voit moins souvent, l'intérêt et la capacité de cette autre personne de comprendre et de répondre aux besoins de l'enfant sont autant de facteurs qui interviendront dans le lien qu'il pourra développer à son égard.

Qu'est-ce qui est le plus important ? Permettre à un enfant de se développer sainement au contact des personnes qui s'en occupent ou faire en sorte d'être la personne qu'il aime par-dessus tout ? Ici, le cœur accepte souvent difficilement la réponse la plus logique. Il est important de respecter l'enfant, les sentiments qui l'animent, car son estime de soi en dépend. De la même façon, il ne faut pas forcer l'estime des petits du nouveau conjoint à son égard et ne pas la rejeter si elle se manifeste. Il s'agit d'un contexte délicat où il n'est pas toujours facile de voir d'abord l'intérêt ou le bien de l'enfant, surtout s'il semble nous mettre un peu à l'écart.

À la maison ou à la garderie, en couple ou séparé ? Rien n'est magique. Une bonne attention aux besoins de l'enfant est toujours nécessaire. La disponibilité, la continuité et la conformité ainsi que la prévisibilité dans l'approche de l'enfant sont les meilleurs gages d'un développement sain tant au plan affectif que cognitif.

CHAPITRE 11

Enfants et familles vulnérables

L'enfant à naître est pratiquement toujours perçu positivement, que la grossesse soit désirée, planifiée ou pas. Une fois acceptée, toutes les mères et tous les pères rêvent de l'enfant parfait qui possédera toutes les aptitudes et les qualités, souvent celles-là que l'on a souvent soi-même rêvé d'avoir. Mais la nature ne répond pas toujours aux attentes. Certains enfants naissent avec des anomalies, des maladies ou encore beaucoup trop tôt. Leur santé fragilisée dès le départ nécessite un séjour à l'hôpital dès la naissance ou encore des soins particuliers. Le milieu hospitalier ne favorise pas le contact et l'intimité entre le nourrisson et ses parents. De plus, les besoins du nourrisson sont souvent complexes et entremêlés de soins particuliers. Ses attentes sont difficiles à saisir. Chez le parent, l'inquiétude, la déception ou la culpabilité brisent la spontanéité, l'aisance, le plaisir de s'occuper de ce petit qui n'est finalement pas celui que l'on attendait.

Parfois, ce sont les attentes des parents qui ne sont pas réalistes. Un peu trop jeune, un peu trop immature ou encore profondément blessé dans son enfance, le parent n'est pas prêt à recevoir cet enfant qu'il s'est fabriqué dans sa tête : « Le bébé bonheur s'en vient ». En effet, pour ces parents, l'enfant est souvent perçu comme le remède à leurs malheurs. Enfin quelqu'un qui les aimera, qui prendra soin d'eux ou du moins leur apportera paix, joie et réconfort qu'ils n'ont pu trouver ailleurs. Évidemment, même si l'enfant est effectivement une source de plaisir pour les parents, il n'en demeure pas moins qu'en prendre soin est d'abord exigeant et qu'en fin de compte, le bébé, l'enfant ou l'adolescent demandent plus qu'ils ne donnent.

Les aléas de la vie

Pour d'autres familles, l'environnement peut changer de façon plus ou moins prévisible au cours des années, et même durant la grossesse. Décès, séparation, perte d'emploi, déménagement, immigration et conflits sociaux peuvent menacer l'équilibre familial et perturber significativement les parents dans leur capacité de rester attentif et disponible à leurs enfants.

Les aléas de la vie modulent et compliquent parfois transitoirement les relations parents-enfants. Ils peuvent rendre moins disponibles des parents qui pourtant, en d'autres moments, occasions, contextes, feront preuve de plus d'attention, de compréhension et de continuité auprès de leurs enfants; qui s'avéreront des parents plus susceptibles de favoriser l'émergence d'un lien d'attachement plus sécurisant pour l'enfant.

Un certain nombre de personnes et de familles peuvent donc présenter ainsi de grandes difficultés qui compromettent leurs aptitudes à s'occuper d'enfant. Pour eux, il arrive souvent que la maladie mentale, la toxicomanie, l'alcoolisme, des capacités intellectuelle limitées ou encore des désordres émotifs profonds liés à une enfance très chaotique limitent considérablement leurs capacités parentales. En dépit de l'aide disponible auprès d'organismes et de groupes communautaires ou encore de services de santé, certains n'arrivent pas à se réhabiliter et exposent leurs enfants à des risques ou à des dangers inacceptables. Les enfants de ces familles seront signalés et finalement pris en charge par les services de protection de la jeunesse (DPJ) en vertu de la Loi sur la protection de la jeunesse. Cette prise de conscience de la dangerosité de certains milieux familiaux et de l'existence d'enfants victimes de sévices est assez récente.

Des milieux familiaux inadéquats ou maltraitants

C'est en effet au début des années soixante que des pédiatres américains, comme Helfer et Kempe, ont pris conscience que des enfants amenés à l'urgence de leur hôpital et présentant des symptômes graves comme des ecchymoses, des brûlures, des fractures, des traumatismes crâniens étaient en fait victimes de sévices de la part de leurs propres parents. Chez d'autres, l'absence de soins et la négligence s'avéraient être la cause de retards et de déficits comme un retard de croissance, de langage, de développement psychosocial ou des troubles de comportement. De ces observations est née la notion de maltraitance envers les enfants qui a graduellement conduit à la création de services et de cliniques de protection et d'aide à l'enfance, et éventuellement de lois permettant de protéger et d'aider les enfants lorsque les parents s'avèrent incapables d'y arriver. Au Québec, la Loi sur la protection de la jeunesse entrait en vigueur en 1979.

C'est dans le cadre de cette loi que les Centres jeunesse du Québec ont été mis sur pied, là où œuvrent des intervenants qui s'occupent d'enfants qui ont été signalés pour abus ou négligence. Ces intervenants évaluent le milieu familial et tentent d'aider les parents à développer des compétences qui leur permettront de répondre aux besoins fondamentaux de leur enfant. Dans la grande majorité des cas, on peut déjà à cette étape diagnostiquer un attachement insécure chez l'enfant à partir des retards de développement, des troubles de comportements et d'une histoire de négligence ou d'abus, physique ou sexuel. Le travail consiste alors à évaluer le potentiel de parentalité chez ces parents et, si positif, à mettre en place des interventions susceptibles de créer un milieu familial qui favorise la sécurité de cet enfant et qui permet la reprise de son développement.

Dans les cas où la situation est jugée dangereuse et vraiment inacceptable, l'enfant est alors placé en famille d'accueil pour une période de temps qui souvent s'avère beaucoup plus longue que prévue initialement. Si ce placement se fait tôt dans la vie d'un enfant – par exemple autour de l'âge de 6 mois – le processus d'attachement de cet enfant se fera naturellement vers les parents qui l'accueillent. Et lorsque ce lien, déjà établi, est brisé par le retour de l'enfant vers sa famille d'origine, on observe l'apparition de réactions importantes en lien avec la perte des parents d'accueil.

L'histoire de Pierre-Yves, que nous rencontrons alors qu'il est âgé de 2 ½ ans, en est une bonne illustration. Son cas avait été signalé dès sa naissance au Directeur de la protection de la jeunesse. En dépit d'une aide assidue auprès de l'enfant et de sa mère de la part des ressources communautaires de son milieu et des services de protection de la jeunesse, on en est venu à constater, alors qu'il a 4 mois, que sa mère n'est pas en mesure de s'en occuper. Il est alors placé en famille d'accueil. Lorsqu'il atteint l'âge de 21 mois, le Tribunal considère qu'il devrait reprendre contact graduellement avec sa mère de façon plus assidue dans le but de retourner vivre auprès d'elle prochainement. Alors, ses comportements au sein de la famille d'accueil se modifient beaucoup, surtout lorsque, après plusieurs mois, on commence à le faire dormir chez sa mère biologique. Au retour, il ne veut plus s'éloigner de sa mère d'accueil, reste collé à elle. Il lui demande souvent si elle est sa mère. Il joue très peu, accepte de plus en plus mal les refus. Il se montre agressif et opposant. Il se réveille maintenant en pleurs au milieu de la nuit, surtout pour les deux ou trois nuits qui font suite aux couchers chez sa mère biologique.

Les changements de comportement de Pierre-Yves montrent bien l'activation du système d'attachement. Dans notre esprit, ces changements traduisent la menace ressentie par cet enfant de perdre ses parents d'accueil auxquels il s'est profondément attaché depuis l'âge de 4 mois. Ceux-ci sont devenus ses véritables parents psychologiques, puisque ce sont eux qui l'ont à toute fin pratique élevé et qui ont répondu à ses besoins les plus fondamentaux, physiologiques et affectifs, depuis l'âge de 4 mois jusqu'à maintenant, à 2 ½ ans. Les visites aux parents naturels, tant qu'elles n'impliquaient pas des dodos, étaient probablement vécues comme des visites intéressantes, comme celles qu'un enfant fait à des oncles ou à des tantes. Depuis que des dodos s'y ajoutent, l'enfant ressent très probablement que quelque chose se passe, qui pourrait impliquer de perdre ses parents d'accueil. Quand il revoit les parents d'accueil, surtout la mère qui est devenue la personne la plus significative pour lui, il a besoin d'être très fréquemment rassuré, d'être constamment en contact avec elle, de se faire dire qu'elle est « ma maman à moi » et, même la nuit, il a besoin d'aller la retrouver pour être certain qu'elle est toujours là.

Les cas extrêmes

Malheureusement, on retrouve dans le réseau des centres jeunesse des enfants qui, après avoir subi des abus inacceptables, sont souvent placés et déplacés dans plusieurs familles d'accueil. Cette situation est généralement le résultat d'une mauvaise décision qui conduit au retour de l'enfant dans son milieu d'origine alors que celui-ci n'a pas assez progressé dans ses compétences parentales. Par la suite, l'enfant doit assez rapidement être à nouveau replacé, et malheureusement pas dans la même famille d'accueil. Il suffit que ce processus se répète une ou deux fois pour que nous nous trouvions face à un enfant qui présente des réactions complexes qui peuvent prendre les formes suivantes :

- il ne recherche pas l'aide de l'adulte en situation de détresse ;
- à l'opposé, il est en constante demande d'attention ;
- il ne réagit pas à une séparation (aucun signe de protestation, d'angoisse, de détresse, de rage, etc.) ;

- il va spontanément vers toute personne, même étrangère, avec une familiarité excessive ;
- il se montre manipulateur dans ses relations avec ses pairs ou avec les adultes ;
- il présente des troubles d'apprentissage, d'hyperactivité, d'attention ;
- il se montre fréquemment agressif avec ses pairs ;
- il répond par des attitudes de confrontation ou de rejet à toute exigence ou petite confrontation ;
- il réagit négativement à toute tentative de rapprochement.

Lorsqu'on retrouve quatre ou plus de ces réactions ou symptômes chez des enfants qui par ailleurs ont vécu dans leur enfance une histoire d'abus, de négligence et de placements multiples, on parle de « trouble d'attachement », ainsi que le propose le docteur Paul Steinhauer. Le docteur Steinhauer, un pédopsychiatre de Toronto qui a beaucoup œuvré avec ces enfants, considère que ces réactions complexes expriment leur très grande difficulté à faire confiance même aux parents d'accueil les plus motivés à les accueillir à long terme.

À cet égard l'histoire de Stéphane est très intéressante.

Stéphane, maintenant âgé de 7 ans, a été placé pour la première fois en famille d'accueil à l'âge de 2 ans, en compagnie de ses deux frères aînés qui avaient à ce moment-là 7 et 8 ans. Il avait jusque-là vécu dans un contexte de très grande négligence et été victime d'abus physiques. Durant ses premières années, il aurait été laissé longtemps seul, probablement enfermé dans sa chambre.

Dans la première famille d'accueil où il est placé, il n'a jamais pleuré, pas plus à son arrivée qu'au moment de son départ quelques semaines plus tard. Déjà, à l'âge de 3 ans, c'était un enfant agité, qui présentait un retard de développement important, particulièrement au plan du langage. On notait chez lui une recherche d'attention constante et des comportements opposants, avec des crises importantes. Il pouvait partir avec n'importe quelle personne, même inconnue. Les comportements complexes de Stéphane l'ont conduit à être déplacé vers une troisième famille d'accueil à l'âge de 4 ans.

Après 18 mois dans cette nouvelle famille, Stéphane paraissait avoir fait des progrès remarquables. Cette nouvelle mère d'accueil semblait avoir pu établir une relation de confiance avec lui, malgré la persistance d'occasionnelles crises explosives à la maison. Une relation d'attachement réciproque commençait donc à s'installer entre lui et sa mère d'accueil. Mais à l'école, les choses demeuraient très difficiles et on dut même le scolariser à domicile. Il arrivait toutefois à fonctionner avec d'autres enfants dans la mesure où la supervision était assurée par quelqu'un de la famille d'accueil.

Aujourd'hui, Stéphane continue de visiter occasionnellement sa famille biologique qui demeure toujours très désorganisée et instable. Il reste à leur égard très ambivalent. Parfois, il dit vouloir aller vivre avec ses frères et demande pourquoi il ne voit pas ses parents plus souvent. Par contre, lorsque le moment d'une visite arrive, il se montre très réticent et demande à sa mère d'accueil de l'accompagner et de le ramener avec elle. Il demeure très inquiet, « insécure », et il demande souvent à sa mère d'accueil s'il restera en permanence chez elle.

Ces observations montrent qu'il a évidemment développé un sentiment de confiance envers sa mère d'accueil. Stéphane aurait besoin que l'on puisse lui confirmer la permanence et la continuité de ce lien. Ses difficultés persistantes de comportement en seraient sans doute atténuées. Cette absence de décision quant à son appartenance familiale à long terme entretient une insécurité de base qui le conduit à être encore incapable d'explorer en toute confiance et avec sérénité le monde extérieur. Il ne peut pas vraiment fonctionner, ni en maternelle, ni en première année, même dans un groupe à effectifs très réduits. Il a toujours besoin de la présence de sa mère d'accueil ou de quelqu'un de la famille d'accueil. C'est probablement seulement quand il ressentira que sa sécurité est assurée de façon permanente qu'il pourra graduellement s'éloigner de cette famille attachante pour explorer le monde extérieur et faire des apprentissages.

Stéphane présente un trouble grave d'attachement qu'il est difficile de corriger tant et aussi longtemps que son milieu de vie à long terme ne lui sera pas confirmé.

Ces enfants, comme Stéphane, nous démontrent par leurs comportements extrêmement complexes l'importance des conditions familiales qui doivent présider au développement de l'enfant au cours de ses premières années. Car c'est là que se développe un attachement de qualité. Si un enfant est soumis très tôt, en particulier au cours de ses premières années de vie, à un milieu familial instable, désorganisé et violent, l'attachement peut s'y développer malgré tout, mais est marqué d'une grande angoisse et d'une insécurité telle que tout le développement psychomoteur est atteint, menant ainsi à des retards importants et à des troubles de comportement. Si s'ajoutent à cela des placements successifs ratés, il est facile de comprendre que ces enfants soient réticents à faire confiance à quelqu'un, tellement ils sont marqués par ce sentiment d'avoir été constamment rejetés et par la peur de l'être à nouveau s'ils acceptent de faire confiance à de nouveaux parents.

Réversibilité ou irréversibilité

Un grand nombre des enfants qui se retrouvent dans les centres d'accueil pour de longues périodes sont le plus souvent de ceux qui ont été profondément blessés dans leur capacité d'attachement tout au cours des premières années de leur développement ainsi que Bowlby, le père de cette théorie de l'attachement, l'avait identifié. Ces enfants sont-ils récupérables ? Y a-t-il chez ces enfants un potentiel d'attachement qu'il est encore possible d'aller chercher ?

Le traitement de ces enfants est très difficile et marqué de nombreux échecs. Il ne faut pourtant pas désespérer, mais y mettre le temps, et surtout ne pas forcer à répétition un attachement pour lequel ils ne sont pas prêts. De petits foyers de groupe où quelques éducateurs expérimentés deviennent des figures parentales peuvent souvent constituer une solution. Pour l'enfant, la confiance en l'adulte peut s'y développer sans se concentrer sur une seule personne. Ces foyers de groupe sont pour beaucoup une étape vers une famille d'accueil où l'enfant pourra enfin accepter de faire confiance, accepter de s'attacher. Des recherches récentes démontrent aussi que certains parents d'accueil possèdent, grâce à une autonomie personnelle acquise au cours de leur propre développement, des capacités particulières de prendre en main des enfants très blessés et ainsi activer un potentiel d'attachement toujours présent.

CHAPITRE 12

Attachement et prévention

Maintenant que nous nous sommes penchés sur ces connaissances nouvelles qui nous apprennent qu'un enfant n'est pas seulement le fruit de la génétique de ses parents, mais qu'il développe tout son potentiel humain en interaction avec et sous l'influence du milieu familial qui l'entoure, certaines considérations s'imposent.

Les parents doivent d'abord être très conscients des responsabilités qui leur incombent autour de l'arrivée d'un enfant, et le réseau de la santé doit aussi tout mettre en œuvre pour soutenir les familles durant cette étape cruciale. Dans les pages qui suivent, nous essaierons de décrire un certain nombre d'interventions qui peuvent être faites précocement auprès des familles tout au cours de cette période de mise au monde d'un enfant.

L'humanité a survécu au cours des siècles dans des conditions de vie souvent primitives. Comment les hommes ont-ils réussi à créer autour de leurs enfants la sécurité nécessaire à leur survie ? Les anthropologues ont décrit les rites développés autour de la naissance et transmis de génération en génération pour assurer la prise en charge du nouveau nourrisson et sa survie. Ces rites sont toujours présents dans des cultures vivantes, là où la famille élargie joue ce rôle protecteur tout au long des premiers mois et même des premières années, aussi là où toute la communauté prend en charge le bébé et sa mère.

Le danger d'isolement

Nous avons assisté au cours des dernières décennies à des changements profonds dans ce domaine au sein des sociétés occidentales. Les jeunes familles, après quelques jours en maternité, se retrouvent maintenant souvent bien seules à la maison lors de l'arrivée de leur premier enfant. Les grands-mères ne peuvent plus être présentes comme elles l'étaient il n'y a pas si longtemps. Cet isolement est souvent particulièrement présent dans les familles immigrantes qui se retrouvent loin de leur pays d'origine et coupées justement de ces rites de naissance qui s'y déroulent toujours. Ces jeunes femmes accouchent ainsi dans un climat de deuil plutôt que de grande joie.

Cet isolement peut être dangereux – si l'on se rappelle les observations faites par Selma Fraiberg dont nous parlions plus haut – pour certains parents qui ont eux-mêmes connu des débuts de vie empreints de violence ou de froideur affective, les rendant peu disponibles et souvent peu sensibles aux demandes ou aux signaux de détresse de leur très jeune enfant. On a de plus en plus réalisé que l'on retrouve ces déficits parentaux surtout dans les milieux moins favorisés où pauvreté, monoparentalité, troubles psychiatriques, alcoolisme ou toxicomanie s'allient pour rendre précaire la qualité des soins donnés à un nourrisson, avec toutes les conséquences rapidement évidentes : retards staturo-pondéraux, moteur et langagier, et troubles de comportement.

Devant le danger d'isolement, il faut trouver les moyens de combler ce vide auprès des femmes enceintes et des jeunes familles qui vivent une première grossesse – ou une nouvelle grossesse dans un pays nouveau. L'intérêt pour cette étape où se construit un enfant dans le corps d'une mère sous les yeux admiratifs du père nous a fait mieux comprendre qu'il existe durant cette période de création, chez la mère surtout, une sensibilité particulière à tout ce qui concerne sa propre vulnérabilité et celle de l'enfant qu'elle porte. C'est souvent même l'enfance du nouveau parent qui revient à la surface dans un mouvement de superposition du passé sur le présent et l'avenir. Et la préparation de l'arrivée de cet enfant fait l'objet des préoccupations du couple et de tous ceux qui l'entourent.

Dans ce contexte nouveau où la solitude est une menace toujours possible, un accompagnement des femmes enceintes a été prévu dans plusieurs sociétés occidentales. En France par exemple, un décret ministériel prévoit, au quatrième mois de grossesse, non seulement une échographie pour déceler toute malformation du fœtus, mais aussi une entrevue avec une sage-femme dans le but de déceler toute vulnérabilité psychosociale qui pourrait venir perturber cette étape périnatale et mettre en place une aide appropriée. Au Québec, depuis déjà de nombreuses années, les CLSC ont une fonction semblable qui s'exerce surtout au moment de l'arrivée de l'enfant.

Cet accompagnement de la future mère prend des formes diverses selon les pays et les professionnels qui le réalisent. Les techniques utilisées sont variées, les intervenants sont de disciplines diverses – infirmières ou paraprofessionnels formés à cette fin. Inspirés par les travaux faits dans le contexte de connaissances nouvelles au sujet de l'attachement, des efforts sont souvent faits pour développer la sensibilité maternelle et l'aider à reconnaître la nature des signaux venant d'un nourrisson. On insiste alors sur l'importance d'une réponse rapide, cohérente et consistante: un nourrisson ne peut attendre longtemps la satisfaction de ses besoins. Le temps est révolu où on avait bien peur de le « gâter » si l'on répondait constamment à ses pleurs. On a même démontré qu'un enfant dont la mère répond rapidement à ses pleurs au cours des premiers mois est celui qui pleure le moins à l'âge de 7-8 mois. Une observation faite aux Pays-Bas a mis en évidence que quelques entrevues, faites par la même intervenante entre le sixième et le neuvième mois avec des mères de milieu défavorisé et dont l'enfant démontrait un tempérament difficile, pouvaient augmenter la sensibilité maternelle aux signaux de l'enfant de façon très significative. D'autres équipes ont aussi démontré qu'une observation mère-enfant avec rétroaction en vidéoscopie pouvait conduire à une amélioration de la sensibilité maternelle.

Les populations à haut risque social

Cet accompagnement des mères et du milieu familial est d'autant plus important quand leur histoire nous prévient qu'il existe des risques d'un déroulement problématique des interactions mère-père-enfant qui aura des répercussions sur le développement de l'enfant lui-même. Diverses expériences ont été tentées avec des résultats souvent intéressants. Ainsi, plusieurs équipes, s'inspirant des premières observations de Fraiberg, ont centré leur travail sur l'écoute de ce que des jeunes parents racontent de leur enfance traumatisée par la violence ou la négligence, créant ainsi un climat thérapeutique qui permet graduellement une prise en charge beaucoup plus adéquate de leur enfant.

Aux États-Unis en particulier, d'importants travaux ont mis en lumière que cet accompagnement devait commencer durant le troisième trimestre de la grossesse, se poursuivre jusqu'à l'âge de 2 ans, et que les intervenants devaient être stables et consistants durant cette période. Il s'agit ici d'essayer de développer, autour de ces nouveaux parents qui n'ont pas eu la chance dans leur propre enfance d'avoir accès à des parents compétents, des conditions de vie qui conduiront à un attachement sécure chez leur enfant. Il semble bien, dans ce processus de suivi sur une longue période de temps, qu'un facteur important de réussite soit la création d'une relation de confiance entre l'intervenant et le milieu familial, comme si l'intervenant en venait à jouer un rôle maternel à l'égard de cette jeune mère, à lui transmettre ainsi cette capacité d'être mère que son propre milieu d'origine n'avait pu lui transmettre.

Il est sans doute intéressant de constater que, dans ces expérimentations diverses faites par de nombreuses équipes, la théorie de l'attachement constitue un élément essentiel à leur intervention. Car il s'agit essentiellement de transmettre à ces jeunes parents l'importance de créer autour de leur nourrisson cette sensibilité continue et consistante aux signaux qu'il leur envoie de ses besoins. Heureusement, un grand nombre de parents possèdent déjà à l'intérieur d'eux-mêmes toutes les compétences nécessaires pour répondre aux appels d'un nouveau-né au cours de ces premières années cruciales à son développement. C'est pour les parents plus démunis au plan affectif qu'un accompagnement plus spécialisé est nécessaire afin de les aider à développer en eux cette sensibilité conduisant à l'attachement sécure chez leur enfant.

Cependant, les aspects plus concrets de cet accompagnement ne doivent pas être négligés, qu'il s'agisse d'améliorer le logement, de faciliter la fréquentation de la garderie, de fournir de l'aide à un supplément de scolarisation ou même un soutien financier. Ce sont là des éléments qui sont souvent considérés dans des interventions en périnatalité.

La résilience

Est-il vraiment nécessaire de mettre en branle des moyens aussi importants pour aider de jeunes parents à mettre au monde un enfant et s'en occuper convenablement ? On entend souvent : « Après tout, il faut bien que l'enfant apprenne à affronter les problèmes qui font partie de l'expérience de beaucoup d'enfants. » On connaît des personnages, devenus illustres, qui ont fait preuve de créativité ou d'une grande bienfaisance. On pense au Père Joseph, le fondateur d'ATD Quart Monde, issu d'une famille monoparentale et élevé dans un milieu extrêmement pauvre. On pense aussi à des individus soumis au cours de leur enfance à des conditions familiales misérables, à des deuils successifs, et qui deviennent des personnages historiques importants – tel Abraham Lincoln. Le terme de résilience a été utilisé pour décrire la résistance – analogue à celle de certains métaux – de ces individus.

On est souvent tenté devant ces individus de penser qu'ils possédaient des forces innées, qu'ils étaient porteurs d'une génétique spéciale qui leur donnait d'avance ces capacités de faire face à de grandes souffrances et de s'en sortir, non seulement indemnes, mais créateurs.

Sans minimiser l'importance du facteur génétique, les travaux sur l'attachement nous ouvrent pourtant une piste différente. On y découvre, en effet, que les enfants qui résistent le mieux aux stress qui surviennent tout au cours de leur développement sont ceux qui avaient reçu durant leurs premières années ce fondement qu'est un attachement sécure ; d'autant plus s'ils peuvent compter, au moment où le stress intervient, sur le soutien constant de leurs figures d'attachement.

Pour ceux qui n'ont pas eu cette chance d'une enfance entourée et sensible, on a aussi observé qu'un « attachement vicariant » que l'enfant ou l'adolescent connaît plus tard peut lui permettre de construire un nouveau modèle interne de lui-même et des autres, et d'anticiper ainsi de façon positive les événements de la vie. Certains ont parlé à ce sujet de « tuteurs de résilience » (Cyrulnik[4]), d'une sorte de parentage symbolique (Camil Bouchard[5]).

4. Cyrulnik, Boris. *Un merveilleux malheur*. Paris : Odile Jacob, 1999.
5. Bouchard, Camil. *Un Québec fou de ses enfants*. Québec : MSSS, 1991.

Si l'on voulait se poser la question de la contrepartie biologique, on pourrait avancer que la plasticité cérébrale existe, et elle est bien connue. Elle pourrait expliquer une reprise de la construction harmonieuse du cerveau sous l'influence réparatrice des paroles et des actions bienfaisantes de ces tuteurs de résilience qui sont comme des substituts maternels et paternels que la personne n'aura pas connus aux moments habituels.

Ce pourrait être des personnes ordinaires que l'enfant ou l'adolescent rencontre après ou durant son parcours traumatique ou carentiel. On pense ici à des personnages que l'enfant fréquente dans la vie quotidienne, une gardienne, un professeur, un moniteur, un membre de la famille élargie, etc. Il peut s'agir de parents ou de parents d'accueil qui vont accompagner cet enfant déplacé, le valoriser, l'éduquer au même titre que leurs propres enfants. En somme, en prendre soin. On pense aussi à des thérapeutes professionnels, psychiatres, psychologues ou autres. Par leurs attentions personnalisées, leurs discours positifs et leur compréhension de la souffrance de l'enfant, ces personnes sauront reconstruire intérieurement cet enfant au point où il retrouvera sa propre valeur et la confiance à l'égard du monde extérieur.

En conclusion

Au-delà du concept populaire et discutable de l'instinct maternel, les études scientifiques du XXe siècle s'appuyant sur les travaux de John Bowlby, de Mary Ainsworth et de leurs disciples nous apprennent que l'attachement construit dans les premières années est le fondement même de la personnalité et du développement de l'adulte.

Les images que l'enfant se fait du monde se construisent en effet grâce aux relations avec ses parents au cours de ses premières années de vie. Elles auront une influence déterminante sur son devenir comme être autonome et personne sociale, ainsi que sur ses capacités d'affronter les stress nécessaires de la vie quotidienne au cours de son développement. Car tout n'est pas joué, dans un sens ou dans l'autre. Au cours de ces premières années, des événements malheureux peuvent en effet venir briser une sécurité qui semblait acquise, tout comme les images d'insécurité peuvent être modifiées par un environnement nouveau plus adéquat.

L'essentiel pourtant se situe dans la qualité du milieu immédiat où arrive un enfant et où il se construit. La famille élargie, la garderie, l'école maternelle ont également, dans ce processus complexe, un rôle nécessaire de soutien aux parents. Et les décideurs politiques se doivent d'assurer aux familles tout ce qui peut faciliter l'éclosion de ce lien magique qu'est l'attachement chez l'être humain.

ANNEXE

Les premières années durent toute la vie (Extraits)*

Principes du développement du cerveau

- Le monde extérieur façonne l'architecture du cerveau.
- Le monde extérieur se vit à travers les sens, soit par la vue, l'ouïe, l'odorat, le toucher et le goûter, permettant au cerveau de créer ou de modifier des liens.
- Le cerveau fonctionne selon le principe « on perd ce que l'on n'utilise pas ».
- Les liens qui nous unissent aux autres au début de la vie constituent la source principale de développement des parties du cerveau où siègent les fonctions affectives et sociales.

Soyez à l'écoute de votre enfant

Les nourrissons ne peuvent pas faire usage de la parole pour exprimer leurs humeurs, leurs préférences ou leurs besoins, mais envoient plutôt plusieurs signaux aux adultes qui s'occupent d'eux. Parmi ces signaux, notons les sons qu'ils émettent, leurs mouvements, les expressions

*La version française du document intégral est distribuée au Canada par l'Institut canadien de la santé mentale.

de leur visage et leur façon d'établir ou d'éviter un contact visuel. Les liens d'attachement solides se forment chez un enfant lorsque les parents et les autres personnes chargées de s'occuper de lui essaient de décoder ces signaux et d'y répondre de façon pertinente. C'est ainsi que l'enfant peut commencer à se fier à son environnement, à savoir que s'il sourit, quelqu'un lui sourira; s'il pleure, quelqu'un sera là pour le consoler; s'il a faim, quelqu'un lui donnera à manger. Les parents qui répondent aux besoins d'attention de l'enfant, comme à ses besoins de calme, l'aident à former des liens d'attachement solides.

Mais n'y a-t-il pas un risque de gâter mon nouveau-né avec toute cette attention?

C'est peut-être ce que vous seriez porté à croire, mais en fait les études démontrent que les nouveau-nés apprennent à pleurer moins et à mieux dormir la nuit lorsque les adultes répondent à leurs besoins avec chaleur et rapidité.

Après tout, un nouveau-né vient tout juste de sortir d'un endroit chaud et douillet d'où il pouvait entendre et ressentir le rythme des battements du cœur de sa mère et où il n'avait jamais froid ni faim. Avant de venir au monde, tout était bien réglé. Après la naissance, lorsque le bébé a faim, lorsqu'il n'est pas à l'aise ou lorsque quelque chose ne va pas dans son nouvel environnement, les systèmes de réponses au stress du cerveau libèrent des hormones qui régissent les réactions face au stress. Le bébé exprime ainsi sa détresse en pleurant. Lorsqu'on le prend dans ses bras, qu'on le nourrit ou qu'on le réconforte, le bébé tend à se calmer. Les systèmes de réaction au stress du cerveau se désactivent et le cerveau du nourrisson commence à créer les réseaux de cellules cérébrales qui l'aident à apprendre à se réconforter lui-même.

Parlez à votre enfant, chantez-lui des chansons et lisez-lui des histoires

Lorsque vous racontez des histoires sur les événements du quotidien, lorsque vous chantez des chansons qui parlent des endroits et des gens connus de votre enfant, lorsque vous décrivez ce qui arrive au quotidien, vous créez des interactions qui fourniront à votre enfant une base solide qui servira à tout l'apprentissage qu'il fera plus tard dans la vie.

À quoi bon parler aux nourrissons ou leur dire des histoires avant même qu'ils puissent parler ?

Il semble parfois que les très jeunes enfants ne sont pas en mesure de saisir ce que vous leur dites, mais en fait, de bien des façons, ils sont en mesure de le faire. Les nourrissons ne saisissent pas encore le sens des mots, mais c'est par ces premières « conversations » que se développe la capacité du langage. Lorsque le bébé vous entend prononcer les mêmes mots à plusieurs reprises, les parties du cerveau régissant le langage se développent. De fait, plus ils entendent des mots lors de ces conversations, plus les parties du cerveau régissant la parole et le langage se développent. Parler et chanter à votre enfant, lui lire des histoires, tout ceci est non seulement important pour le développement du cerveau, mais constitue également une occasion rêvée de passer de tendres moments avec votre enfant.

Établissez des routines et des habitudes

Un bambin sait que l'heure du dodo est arrivée parce que sa mère lui chante une chanson et tire les rideaux, comme elle le fait à chaque fois. Un autre bambin sait que son père viendra le chercher très bientôt parce que la gardienne lui donne du jus et des biscuits. Les routines du quotidien associées à un sentiment agréable rassurent les enfants, ce que toute personne qui a pris soin des enfants sait depuis longtemps.

Les expériences positives répétées forment des liens solides entre les neurones du cerveau et procurent à l'enfant un sentiment de sécurité. Ces habitudes enseignent également aux enfants ce qu'ils peuvent attendre de leur environnement et leur permet de mieux le comprendre. On constate que les enfants qui ont des interactions prévisibles et sécuritaires avec les autres réussissent mieux à l'école plus tard.

Ne frappez ou ne secouez jamais votre enfant

Les recherches sur le cerveau démontrent que ces formes de discipline peuvent avoir des effets néfastes à long terme. La discipline doit servir à l'apprentissage, et les seules choses que l'enfant peut apprendre avec ce genre d'interaction est la peur, l'humiliation et la colère. De plus, les enfants que l'on secoue et que l'on frappe sont beaucoup plus susceptibles d'en arriver à considérer que la violence est une façon convenable de réagir aux situations. Prenez le temps qu'il vous faut pour reprendre votre sang-froid, compter jusqu'à dix ou téléphonez à un ami ou à de la famille. Ne critiquez pas sévèrement votre enfant et ne lui faites pas de reproches amers qui le couvriraient de honte. Dirigez vos commentaires de façon à décrire le comportement et non pas l'enfant en tant que personne.

La discipline à laquelle l'enfant est confronté causera inévitablement des moments de tension, au cours desquels il sera fâché face à votre désapprobation. Il importe que les parents adoucissent ces moments de tension pour que l'enfant continue de se sentir aimé et accepté. Si vous croyez avoir réagi de façon excessive ou si vous estimez avoir discipliné votre enfant d'une façon que vous regrettez maintenant, vous pouvez vous excuser et lui dire que vous vous êtes trompé.

Reconnaissez que chaque enfant est unique

Les enfants ont tous des tempéraments différents. Un enfant peut être entreprenant et enjoué tandis que son frère peut être un peu plus réservé et prendre plus de temps avant de se dégêner. Les enfants grandissent également à des rythmes différents. Les idées et les sentiments qu'ils entretiennent à propos d'eux-mêmes reflètent, dans une large mesure, votre attitude à leur égard.

Comment puis-je aider mon enfant à avoir une bonne estime de soi ?

Lorsque les enfants maîtrisent les défis du quotidien, ils ont une bonne estime de soi, et ce particulièrement lorsque vous leur faites des compliments spécifiques sur les défis qu'ils ont su relever : « Tu as monté tout l'escalier tout seul, bravo mon grand ! ». Lorsque les enfants reçoivent des compliments concrets, ils commencent à voir le lien entre leurs actions et votre façon d'y réagir. Les parents qui se montrent sensibles aux signaux de leurs enfants ont d'habitude des enfants qui ont une estime de soi positive.

Prenez soin de vous

Enfin, il faut dire que les parents ainsi que toute autre personne à qui on a confié la garde des enfants ont également besoin de s'occuper d'eux-mêmes. S'occuper des enfants est un travail qui représente parfois le plus grand défi, même s'il s'agit du travail le plus merveilleux et le plus important qui soit. En raison du fait que vous fournissez le premier environnement du nourrisson et de vos jeunes enfants, votre santé et votre bien-être revêtent une grande importance. Lorsque vous vous sentez épuisé, préoccupé, de mauvaise humeur, déprimé ou dépassé, il vous sera plus difficile de répondre aux besoins des jeunes enfants.

Lorsque vous vous sentez dépassé, sachez prendre soin de vous. Faites appel à autrui et assurez-vous d'obtenir l'aide qu'il vous faut. Votre famille, les amis, les voisins, le médecin de famille, les éducateurs en garderie ou d'autres personnes peuvent vous aider à assurer le développement en santé et la maturité scolaire de votre enfant. Gardez surtout à l'esprit qu'il y a bien des façons d'atteindre cet objectif. Lorsque vous vous tromperez, comme cela arrive à tous les parents, vous aurez plusieurs occasions de vous racheter.

Oui, vraiment, les premières années durent toute la vie.

Références bibliographiques

Introduction

Bowlby, John. *Attachement et perte : Vol. 1 – L'attachement. Vol. 2 – La séparation, angoisse et colère. Vol. 3 - La perte, tristesse et séparation.* Paris : Presses universitaires de France, 1978-1984.

Guedeney, Nicole et Antoine Guedeney. *L'attachement.* Paris : Masson, 2006.

Chapitre 1

Karen, Robert. *Becoming Attached : First relationships and how they shape our capacity to love.* New York : Oxford University Press, 1998.

Chapitre 2

Brazelton, Terry B. et Bertrand Cramer. *Les premiers liens : l'attachement parents/bébé vu par un pédiatre et un psychiatre.* Paris : Stock/Laurence Pernoud, 1991.

Stern, Daniel N. *Le monde interpersonnel du nourrisson : une perspective psychanalytique et développementale.* Paris : Presses universitaires de France, 1989.

Chapitre 3

Ainsworth, Mary D. Salter et al. *Patterns of Attachment : A psychological study of the strange situation.* New York : Wiley, 1978.

LE CAMUS, Jean. *Le vrai rôle du père.* Paris : Odile Jacob, 2004.

MAIN, M. et J. SOLOMON. « Discovery of a insecure-disorganized/disoriented attachment pattern ». In : Terry B. Brazelton et Michael Yogman (Eds), *Affective Development in Infancy.* Norwood, NJ : Ablex, 1986.

Chapitre 4

GROSSMAN, Klaus E., Karin GROSSMAN et Heinz KINDLER. « Early care and the roots of attachment and partnership representations : The Bielefeld and Regensburg longitudinal studies », in Klaus E. Grossmann, Karin Grossmann et Everett Waters (Eds), *Attachment from Infancy to Adulthood : The major longitudinal studies.* New York : Guilford Press, 2005. pp. 98-136.

Chapitre 5

BRETHERTON, Inge « In pursuit of the internal working model construct and its relevance to attachment relationships ». in Klaus E. Grossmann, Karin Grossmann et Everett Waters (Eds), *Attachment from Infancy to Adulthood : The major longitudinal studies.* New York : Guilford Press, 2005. pp.13-47.

TREMBLAY, Richard E. *Prévenir la violence dès la petite enfance.* Paris : Odile Jacob, 2008.

Chapitre 6

FRAIBERG, Selma, Edna ADELSON et Vivian SHAPIRO. « Fantômes dans la chambre d'enfants ». *Psychiatrie de l'enfant* 1983 26 (1) : 57-98.

Chapitre 7

SROUFE, L. Alan et al. *The Development of the Person. The Minnesota Study of Risk and Adaptation from Birth to Adulthood.* New York : Guilford Press, 2005.

Chapitre 8

ALLEN, Joseph P. et Debrah LAND. «Attachment in adolescence». In Jude Cassidy et Philip R. Shaver (Eds), *Handbook of Attachment. Theory, research and clinical applications.* New York : Guilford Press, 1999. pp. 319-335.

Chapitre 9

NICHD EARLY CHILD CARE RESEARCH NETWORK (Ed). *Child Care and Child Development : Results from the NICHD Study of Early Child Care and Youth Development.* New York : Guilford Press, 2005.

Chapitre 10

GAUTHIER, Yvon. « Les enfants sont-ils les cobayes de la présomption du Tribunal en faveur de la garde partagée ? » *Santé mentale au Québec* 2008 33 (1) : 203-208.

Chapitre 11

GAUTHIER Yvon, Gilles FORTIN et Gloria JELIU. « Applications cliniques de la théorie de l'attachement pour les enfants en famille d'accueil : importance de la continuité ». *Devenir* 2004 16 (2) : 109-139.

STEELE, Miriam, Jill HODGES, Jeanne KANIUK et al. « Attachment representations and adoption : associations between maternal states of mind and emotion narratives in previously maltreated children ». *Journal of child psychotherapy* 2003 29 (2) : 187-295.

STEINHAUER, Paul D. *Le moindre mal: la question du placement de l'enfant.* Montréal : Presses de l'Université de Montréal, 1996.

Chapitre 12

BOUCHARD, Camil. *Un Québec fou de ses enfants : rapport du Groupe de travail sur les jeunes.* Québec : Ministère de la Santé et des Services sociaux, 1991.

CYRULNIK, Boris. *Un merveilleux malheur.* Paris : Odile Jacob, 1999.

OLDS, David L. « The Nurse-Family Partnership : An evidence-based preventive intervention ». *Infant Mental Health Journal* 2006 27 (1) : 5-25.

Conclusion

BOWLBY, John. « Attachment ». In Richard L. Gregory (Ed), *The Oxford Companion to the Mind.* Oxford, UK : Oxford University Press, 1987. pp. 57-58.

RESSOURCES

Livres

NOËL, Louise. *Je m'attache, nous nous attachons : le lien entre un enfant et ses parents.* Montréal : Sciences et Culture, 2003. 270 p.

RUFO, Marcel. *Détache-moi : se séparer pour grandir.* Paris : Anne Carrière, 2005. 264 p.

RYGAARD, Niels Peter. *L'enfant abandonné : guide de traitement des troubles de l'attachement.* Bruxelles : De Boeck, 2007. 272 p.

Documents sur Internet

L'attachement parent-enfant : un lien qui prend forme dans la confiance. Encyclopédie sur le développement des jeunes enfants.
www.enfant-encyclopedie.com/pages/PDF/AttachementFRmcP.pdf

Les premières années durent toute la vie. Institut canadien de la santé infantile (ICSI).
www.cich.ca/French/PDFFiles/FirstYearsFREWEB.pdf

Documents audiovisuels

Les départs nécessaires. Montréal : Office national du film, 1965. 35 min.
www3.onf.ca/collection/films/fiche/?id=983

Développement, influences de l'environnement et de l'attachement. JELIU, Gloria et Yvon GAUTHIER. Montréal : Hôpital Sainte-Justine, Service audiovisuel, 1998. 70 min.

Ouvrages parus dans la même collection

Accompagner son enfant prématuré
De la naissance à cinq ans
Sylvie Louis
ISBN 978-2-89619-085-0 2007/216 p.

Ados : mode d'emploi
Michel Delagrave
ISBN 2-89619-016-3 2005/176 p.

L'agressivité chez l'enfant de 0 à 5 ans
Sylvie Bourcier
ISBN 978-2-89619-125-3 2008/220 p.

Aide-moi à te parler !
La communication parent-enfant
Gilles Julien
ISBN 2-922770-96-6 2004/144 p.

Aider à prévenir le suicide chez les jeunes
Un livre pour les parents
Michèle Lambin
ISBN 2-922770-71-0 2004/272 p.

L'allaitement maternel – 2e édition
Comité pour la promotion de l'allaitement maternel de l'Hôpital Sainte-Justine
ISBN 2-922770-57-5 2002/104 p.

Apprivoiser l'hyperactivité et le déficit de l'attention – 2e édition
Colette Sauvé
ISBN 978-2-89619-095-9 2007/132 p.

L'asthme chez l'enfant
Pour une prise en charge efficace
Sous la direction de Denis Bérubé, Sylvie Laporte et Robert L. Thivierge
ISBN 2-89619-057-0 2006/168 p.

Au-delà de la déficience physique ou intellectuelle
Un enfant à découvrir
Francine Ferland
ISBN 2-922770-09-5 2001/232 p.

Au fil des jours... après l'accouchement
L'équipe de périnatalité de l'Hôpital Sainte-Justine
ISBN 2-922770-18-4 2001/96 p.

Au retour de l'école...
La place des parents dans l'apprentissage scolaire
2e édition
Marie-Claude Béliveau
ISBN 2-922770-80-X 2004/280 p.

Comprendre et guider le jeune enfant
À la maison, à la garderie
Sylvie Bourcier
ISBN 2-922770-85-0 2004/168 p.

De la tétée à la cuillère
Bien nourrir mon enfant de 0 à 1 an
Linda Benabdesselam et autres
ISBN 2-922770-86-9 2004/144 p.

Le développement de l'enfant au quotidien
Du berceau à l'école primaire
Francine Ferland
ISBN 2-89619-002-3 2004/248 p.

Le diabète chez l'enfant et l'adolescent
Louis Geoffroy, Monique Gonthier et les autres membres de l'équipe de la Clinique du diabète de l'Hôpital Sainte-Justine
ISBN 2-922770-47-8 2003/368 p.

La discipline un jeu d'enfant
Brigitte Racine
ISBN 978-2-89619-119-2 2008/136 p.

Drogues et adolescence
Réponses aux questions des parents
Étienne Gaudet
ISBN 2-922770-45-1 2002/128 p.

Dyslexie et autres maux d'école
Quand et comment intervenir
Marie-Claude Béliveau
ISBN 978-2-89619-121-5 2007/296 p.

En forme après bébé
Exercices et conseils
Chantale Dumoulin
ISBN 2-921858-79-7 2000/128 p.

En forme en attendant bébé
Exercices et conseils
Chantale Dumoulin
ISBN 2-921858-97-5 2001/112 p.

Enfances blessées, sociétés appauvries
Drames d'enfants aux conséquences sérieuses
Gilles Julien
ISBN 2-89619-036-8 2005/256 p.

L'enfant adopté dans le monde
(en quinze chapitres et demi)
Jean-François Chicoine, Patricia Germain et Johanne Lemieux
ISBN 2-922770-56-7 2003/480 p.

L'enfant malade
Répercussions et espoirs
Johanne Boivin, Sylvain Palardy et Geneviève Tellier
ISBN 2-921858-96-7 2000/96 p.

ENFIN JE DORS... ET MES PARENTS AUSSI
Evelyne Martello
ISBN 978-2-89619-082-9 2007/120 p.

L'ÉPILEPSIE CHEZ L'ENFANT ET L'ADOLESCENT
Anne Lortie, Michel Vanasse et autres
ISBN 2-89619-070-8 2006/208 p.

L'ESTIME DE SOI DES ADOLESCENTS
Germain Duclos, Danielle Laporte et Jacques Ross
ISBN 2-922770-42-7 2002/96 p.

L'ESTIME DE SOI DES 6-12 ANS
Danielle Laporte et Lise Sévigny
ISBN 2-922770-44-3 2002/112 p.

L'ESTIME DE SOI, UN PASSEPORT POUR LA VIE – 2e ÉDITION
Germain Duclos
ISBN 2-922770-87-7 2004/248 p.

ET SI ON JOUAIT?
LE JEU DURANT L'ENFANCE ET POUR TOUTE LA VIE
2e ÉDITION
Francine Ferland
ISBN 2-89619-035-X 2005/212 p.

ÊTRE PARENT, UNE AFFAIRE DE CŒUR – 2e ÉDITION
Danielle Laporte
ISBN 2-89619-021-X 2005/280 p.

FAMILLE, QU'APPORTES-TU À L'ENFANT?
Michel Lemay
ISBN 2-922770-11-7 2001/216 p.

LA FAMILLE RECOMPOSÉE
UNE FAMILLE COMPOSÉE SUR UN AIR DIFFÉRENT
Marie-Christine Saint-Jacques et Claudine Parent
ISBN 2-922770-33-8 2002/144 p.

FAVORISER L'ESTIME DE SOI DES 0-6 ANS
Danielle Laporte
ISBN 2-922770-43-5 2002/112 p.

Le grand monde des petits de 0 à 5 ans
Sylvie Bourcier
ISBN 2-89619-063-5 2006/168 p.

Grands-parents aujourd'hui
Plaisirs et pièges
Francine Ferland
ISBN 2-922770-60-5 2003/152 p.

Guide Info-Famille
Organismes-Livres-Sites Internet-DVD
Centre d'information du CHU Sainte-Justine
ISBN 978-2-89619-137-6 2009/600 p.

Guider mon enfant dans sa vie scolaire – 2e édition
Germain Duclos
ISBN 2-89619-062-7 2006/280 p.

L'hydrocéphalie : grandir et vivre avec une dérivation
Nathalie Boëls
ISBN 2-89619-051-1 2006/112 p.

J'ai mal à l'école
Troubles affectifs et difficultés scolaires
Marie-Claude Béliveau
ISBN 2-922770-46-X 2002/168 p.

Jouer à bien manger
Nourrir mon enfant de 1 à 2 ans
Danielle Regimbald, Linda Benabdesselam, Stéphanie Benoît et Micheline Poliquin
ISBN 2-89619-054-6 2006/160 p.

Les maladies neuromusculaires chez l'enfant et l'adolescent
Sous la direction de Michel Vanasse, Hélène Paré, Yves Brousseau et Sylvie D'Arcy
ISBN 2-922770-88-5 2004/376 p.

Mon cerveau ne m'écoute pas
Comprendre et aider l'enfant dyspraxique
Sylvie Breton et France Léger
ISBN 978-2-89619-081-2 2007/192 p.

Musique, musicothérapie et développement de l'enfant
Guylaine Vaillancourt
ISBN 2-89619-031-7 2005/184 p.

Le nanisme
Une place au soleil dans un monde de grands
Nathalie Boëls
ISBN 978-2-89619-138-3 2008/184 p.

Parents d'ados
De la tolérance nécessaire à la nécessité d'intervenir
Céline Boisvert
ISBN 2-922770-69-9 2003/216 p.

Les parents se séparent...
Pour mieux vivre la crise et aider son enfant
Richard Cloutier, Lorraine Filion et Harry Timmermans
ISBN 2-922770-12-5 2001/164 p.

Pour parents débordés et en manque d'énergie
Francine Ferland
ISBN 2-89619-051-1 2006/136 p.

Prévenir l'obésité chez l'enfant
Une question d'équilibre
Renée Cyr
ISBN 978-289619-147-5 2009/180 p.

Raconte-moi une histoire
Pourquoi ? Laquelle ? Comment ?
Francine Ferland
ISBN 2-89619-116-1 2008/168 p.

Responsabiliser son enfant
Germain Duclos et Martin Duclos
ISBN 2-89619-00-3 2005/200 p.

Santé mentale et psychiatrie pour enfants
Des professionnels se présentent
Bernadette Côté et autres
ISBN 2-89619-022-8 2005/128 p.

La scoliose
Se préparer à la chirurgie
Julie Joncas et collaborateurs
ISBN 2-921858-85-1 2000/96 p.

Le séjour de mon enfant à l'hôpital
Isabelle Amyot, Anne-Claude Bernard-Bonnin, Isabelle Papineau
ISBN 2-922770-84-2 2004/120 p.

La sexualité de l'enfant expliquée aux parents
Frédérique Saint-Pierre et Marie-France Viau
ISBN 2-89619-069-4 2006/208 p.

Tempête dans la famille
Les enfants et la violence conjugale
Isabelle Côté, Louis-François Dallaire et Jean-François Vézina
ISBN 2-89619-008-2 2004/144 p.

Le trouble de déficit de l'attention
avec ou sans hyperactivité
Stacey Bélanger, Michel Vanasse et coll.
ISBN 978-2-89619-136-9 2008/240 p.

Les troubles anxieux expliqués aux parents
Chantal Baron
ISBN 2-922770-25-7 2001/88 p.

Les troubles d'apprentissage :
comprendre et intervenir
Denise Destrempes-Marquez et Louise Lafleur
ISBN 2-921858-66-5 1999/128 p.

Votre enfant et les médicaments :
informations et conseils
Catherine Dehaut, Annie Lavoie, Denis Lebel, Hélène Roy et Roxane Therrien
ISBN 2-89619-017-1 2005/332 p.

Marquis imprimeur inc.

Québec, Canada
2010

Imprimé sur du papier Silva Enviro 100% postconsommation traité sans chlore, accrédité Éco-Logo et fait à partir de biogaz.

certifié

procédé sans chlore

100 % post-consommation

archives permanentes

énergie biogaz